D1133399

La gueule du Loup

DANS LA MÊME COLLECTION

Alessandro Cassa: *Le chant des fées Tome 1: La diva*

Sergine Desjardins: *Marie Major*

François Godue: *Ras le bol*

Danielle Goyette: *Caramel mou*

Marie C. Laberge: *En Thaïlande: Marie au pays des merveilles*

Georges Lafontaine: *Des cendres sur la glace*
Des cendres et du feu

Claude Lamarche: *Le cœur oublié*
Je ne me tuerai plus jamais

François Lavallée: *Dieu, c'est par où?*, nouvelles

Michel Legault: *Amour.com*

Marais Miller: *Je le jure*, nouvelles

Marc-André Moutquin: *No code*

Claudine Paquet: *Le temps d'après*
Éclats de voix, nouvelles
Une toute petite vague, nouvelles

Claudine Paquet,
Andrée Casgrain,
Claudette Frenette,
Dominic Garneau: *Fragile équilibre*, nouvelles

Geneviève Porter: *Les sens dessus dessous*, nouvelles

Patrick Straehl: *Ambiance full wabi sabi*, chroniques

Anne Tremblay: *Le château à Noé Tome 1: La Colère du lac*
Le château à Noé Tome 2: La Chapelle du Diable
Le château à Noé Tome 3: Les Porteuses d'espoir

Louise : *Les années du silence Tome 1: La Tourmente*
Tremblay-D'Essiambre *Les années du silence Tome 2: La Délivrance*
Les années du silence Tome 3: La Sérénité
Les années du silence Tome 4: La Destinée
Les années du silence Tome 5: Les Bourrasques
Les années du silence Tome 6: L'Oasis
Entre l'eau douce et la mer
La fille de Joseph
L'infiltrateur
«Queen Size»
Boomerang
Au-delà des mots
De l'autre côté du mur
Les demoiselles du quartier, nouvelles
Les sœurs Deblois Tome 1: Charlotte
Les sœurs Deblois Tome 2: Émilie
Les sœurs Deblois Tome 3: Anne
Les sœurs Deblois Tome 4: Le demi-frère
La dernière saison Tome 1: Jeanne
La dernière saison Tome 2: Thomas
Mémoires d'un quartier Tome 1: Laura

Nadia Gosselin

La gueule du Loup

roman

Guy Saint-Jean
ÉDITEUR

Catalogage avant publication de Bibliothèque et Archives nationales du Québec et Bibliothèque et Archives Canada

Gosselin, Nadia, 1970-
La gueule du loup
ISBN 978-2-89455-294-0
I. Titre.
PS8613.O771G83 2008   C843'.6   C2008-941378-4
PS9613.O771G83 2008

Nous reconnaissons l'aide financière du gouvernement du Canada par l'entremise du Programme d'Aide au Développement de l'Industrie de l'Édition (PADIÉ) ainsi que celle de la SODEC pour nos activités d'édition. Nous remercions le Conseil des Arts du Canada de l'aide accordée à notre programme de publication.

 Patrimoine canadien Canadian Heritage   Canadä   Conseil des Arts du Canada   Canada Council for the Arts   SODEC Québec

Gouvernement du Québec — Programme de crédit d'impôt pour l'édition de livres — Gestion SODEC

© Guy Saint-Jean Éditeur Inc. 2008
Conception graphique: Christiane Séguin
Révision: Hélène Bard
Photographie de la page couverture: Getty Images

Dépôt légal — Bibliothèque et Archives nationales du Québec, Bibliothèque et Archives Canada, 2008
ISBN: 978-2-89455-294-0

Distribution et diffusion
Amérique: Prologue
France: Volumen
Belgique: La Caravelle S.A.
Suisse: Transat S.A.

Tous droits de traduction et d'adaptation réservés. Toute reproduction d'un extrait quelconque de ce livre par quelque procédé que ce soit, et notamment par photocopie ou microfilm, est strictement interdite sans l'autorisation écrite de l'éditeur.

Guy Saint-Jean Éditeur inc.
3154, boul. Industriel, Laval (Québec) Canada. H7L 4P7. (450) 663-1777.
Courriel: info@saint-jeanediteur.com • Web: www.saint-jeanediteur.com

Guy Saint-Jean Éditeur France
48, rue des Ponts, 78290 Croissy-sur-Seine, France. (1) 39.76.99.43.
Courriel: gsj.editeur@free.fr

Imprimé et relié au Canada

À cet homme-loup,
dont le hurlement de tristesse
retentit encore aujourd'hui
dans ma mémoire.

Chapitre 1

Je venais d'atterrir au plat pays.

Il pleuvait sur la ville, comme c'est l'habitude en cette saison, et je ne savais pas encore que cette image bruineuse et terne resterait à jamais gravée dans ma mémoire lorsque Bruxelles reviendrait hanter mes songes.

Mes pas empressés claquaient sur le parquet ciré de l'aéroport, marquant les battements précipités de mon cœur et comptant à rebours chacune des fractions de seconde qui me séparaient encore de lui. Là, si près du nirvana que j'anticipais, le temps paraissait encore trop long.

Je rayonnais d'allégresse. Un sourire dessiné sur les lèvres et le cœur gonflé comme un aérostat, je me sentais encore légère, portée par la douce et exquise folie qui m'avait menée au ciel.

Je n'avais jusque-là accordé aucune attention à l'eau ruisselant sur les hublots de l'avion et les vitres de l'aéroport ni à ces éclairs qui se mirent à lézarder le ciel de leurs feux éclatants, non plus à ces lugubres roulements de tambours qui annoncèrent mon arrivée; des signes de mauvais augure que j'aurais pourtant dû remarquer. Mais le sinistre cérémonial passa inaperçu à mes yeux. J'étais trop occupée à me projeter avec fébrilité dans les instants qui allaient suivre pour être dans le moment présent en toute conscience.

Bagages en main, je passai la grande porte de l'aéroport de Zaventem qui conduit à l'accueil des visiteurs. J'avais le cœur battant et plein d'espoir. Nous devions nous reconnaître au premier regard, malgré la foule; c'était convenu.

Lorsque mes yeux croisèrent les siens, d'un bleu livide, qui s'embrasèrent instantanément, je crois que je baissai les paupières quelques secondes pour m'efforcer de garder le sourire. Je passai derrière une immense colonne de béton qui nous coupait l'un de l'autre et qui m'offrit l'occasion de me ressaisir.

J'eus un vertige.

Je m'adossai au mur.

Je fermai les yeux pour ne plus rien apercevoir, mais dans la pénombre de mes paupières brûlantes, je ne distinguai plus que ce visage émacié par l'âge et ce regard terne, ceinturé de ridules, sur un nid de cernes creux.

Ma folle candeur venait de s'étrangler rudement comme un chien fou au bout de sa corde.

La réalité me ramenait à l'ordre.

Ma fiction ne passait pas les frontières.

J'eus voulu fuir, m'épargner la pénible suite des événements. Sortir illico la gomme à effacer, raturer les dernières pages de mon roman fleur bleue qui sombrait maintenant dans l'horreur. Quitter le monde réel. Retourner dans mes naïves fantaisies, là où mon imagination avait jusque-là régné en maître et où chaque détail, quel qu'il soit, était encore soumis à mes moindres désirs.

Je sentis cependant la puissante main invisible du destin, qui m'avait si âprement strangulée en m'empoignant par l'encolure pour mieux me secouer les idées, me pousser maintenant, avec autant de brusquerie, à entrer en scène, encore titubante, et à m'en remettre à une autre plume que la mienne pour écrire les prochains chapitres.

Maintenant que je me trouvais là, à quelques mètres de lui seulement, quelle autre solution s'offrait à moi?

Avec une hardiesse improvisée, je sortis des coulisses.

— Bonjour! lançai-je d'un air faussement heureux, en m'avançant vers lui.

— Allô, Loulou! s'exclama-t-il en ouvrant les bras. Eh bien! Tu ne m'embrasses pas?

Je le laissai me faire la bise sur les joues et fis semblant de lui rendre la pareille en baisant l'air.

Mille fois, ensemble, nous avions scénarisé l'ultime instant de notre rencontre; incommensurablement heureux de nous trouver enfin dans les bras l'un de l'autre, nous nous embrassions avec ferveur, au milieu de la foule, envahis par cette folle passion qui nous consumait tous les deux et nous avait conduits jusqu'à ce moment tant espéré.

Je goûtais enfin, pour la première fois, à la douce tiédeur de ses lèvres. J'avais le cœur, l'âme et le corps exaltés par sa seule présence.

Sa main se posait fermement sur mes reins pour me plaquer contre lui. Il m'embrassait avec plus d'ardeur encore. Ses lèvres dévoraient les miennes.

Feignant d'être raisonnables, nous avions pourtant tenté de considérer d'autres scénarios plus réalistes et moins romantiques. Nous avions imaginé, sans vouloir y croire toutefois — espérant pour nous le meilleur — qu'il fut possible que ce passage dans le réel nous réserve quelques déceptions de part et d'autre. Nous convenions qu'il était probable qu'advenant la révélation d'une incompatibilité, jusque-là insoupçonnable, notre relation puisse se solder bizarrement par une forme originale d'amitié que nous pensions alors pouvoir préserver avec beaucoup d'attachement pour ce qu'elle comporterait d'inusité.

Pourtant, malgré tant de précautions hypothétiques, aucune scène, parmi celles envisagées, ne ressemblait à celle-ci.

Tout, autour de moi, prenait des airs de deuil.

Qu'étais-je donc venue faire ici, si loin de chez moi, dans ce pays bruineux, avec un homme que je jugeai froidement, dès l'instant où je l'aperçus pour la première fois, comme un vieillard valétudinaire et dupe de sa condition?

Quel canular…

Se rendait-il compte, lui qui m'avait pourtant toujours semblé si lucide, que mon sourire et mon contentement étaient faux?

Il m'aida à porter mes bagages.

Nous nous arrêtâmes en chemin pour prendre un café à un petit restaurant de l'aéroport.

C'est à peine si j'humectai mes lèvres.

Tout était maintenant si fade.

Rien ne me faisait plus envie.

J'observai furtivement les hommes autour de nous en me demandant pourquoi Edy n'était pas celui-là ou cet autre à qui, même pour un petit rien, j'inventais un charme inexistant. En tout cas, celui qui était devant moi ne trouvait définitivement pas grâce à mes yeux. Néanmoins, à mon grand désarroi, on l'avait vraisemblablement affecté au rôle principal de mon intrigue.

Je lui laissai l'embarras d'entretenir seul la conversation. Je préférai m'occuper à replier et déplier sempiternellement, sur la table, les côtés de quelques petits sachets de sucre tout au long de son interminable soliloque. Ma machinale occupation ne sembla pas trop le contrarier, quoiqu'il commençât par bafouiller quelques insignifiances avant de m'entretenir, en propos qui m'apparurent décousus, de sa vie ici, de son âme de loup au milieu des hommes.

Voilà qu'il m'apparaissait maintenant n'être qu'un vieux fou.

Peut-être semblais-je l'écouter avec attention, enfermée dans mon mutisme.

Il continuait de parler, et de parler encore, probablement pour enterrer mon silence criant de désespoir.

Tout s'avérait discordant.

Le moindre bruit apparaissait tonitruant.

Mes pensées s'égaraient dans la cacophonie des allées et venues des voyageurs. J'avais des étourdissements. J'étais là sans y être. Le château de cartes que j'avais érigé dans mes rêves s'était effondré.

Sur les ailes de Sabena, j'avais raconté à ma voisine de siège — avec une candeur et une passion naïve qui me faisaient maintenant honte et me soulevaient le cœur — mon histoire d'amour épistolaire avec l'homme le plus merveilleux du monde que je m'en allais rejoindre dans cette envolée romanesque. Je traversais l'océan pour lui; nous nous entendions si exceptionnellement bien! C'était une reconnaissance qui transcendait l'espace et le temps. Deux âmes sœurs, géographiquement très éloignées, s'étaient comprises et reconnues, et ce, par l'extraordinaire clairvoyance des mots. Toute notre histoire, écrite au jour le jour, témoignait de nos impressions naissantes et justifiait ce long périple vers le réel. Nos sentiments étaient plus forts et plus vrais que ceux de tous les amoureux du monde, car ils étaient nés de la seule rencontre de nos cœurs. Nos liens étaient purs, se nouaient par l'âme d'abord. Notre enveloppe charnelle ne devenait qu'accessoire, malgré l'incroyable pulsion qui nous attirait maintenant l'un vers l'autre. Nos corps allaient enfin se trouver et se combler de tout ce que nos âmes sensibles avaient conçu pour eux. Nous nous imaginions déjà, au paroxysme du bonheur, dans une petite et modeste chapelle européenne, sous des milliers de confettis tombés du ciel, célébrant la joie de notre amour, sacré par un vieux prêtre acrimonieux dont nous aurions rigolé qu'il n'ait pu comprendre à quel point nous nous aimions. Le commun des mortels ne pouvait saisir la pureté, la fougue et la démesure de tels sentiments. Nous avions déjà fait mille fois l'amour avec les mots de l'autre. Nous nous étions cajolés par l'entremise du verbe et cela ne suffisait plus. Nos sentiments croissaient chaque jour. Nos âmes et nos corps mouraient d'envie de se fondre l'un dans l'autre.

Rien ne pouvait empêcher un tel amour.

Un océan entre nous ne comptait pas plus qu'une flaque d'eau.

Mon interlocutrice, une femme d'affaires dans la trentaine, m'avait écoutée avec beaucoup d'intérêt. La jeune dame aux cheveux ébène m'avait d'abord demandé tout bonnement — par simple prétexte à la discussion — les motifs de mon voyage. Elle quitta plus tard l'avion en flottant sur un nuage, portée par la fougue sentimentale dont je l'avais imprégnée.

Pendant les quelques heures que dura le vol, une complicité s'installa entre nous et j'eus l'occasion de me laisser aller à la confidence. Tandis que je lui racontais mon histoire étonnante, elle roulait rêveusement, entre ses longs doigts fuselés, les perles de son collier.

J'avais bien remarqué, au milieu de mon exaltation, l'envie que j'avais fait naître dans ses grands yeux émeraude, chatoyants sous ses larges paupières bistrées. Elle était si émerveillée par notre passion qu'elle me confia finalement à quel point elle aurait été prête à tout donner pour succomber à une telle ivresse. «Qui, ajouta-t-elle attendrie, n'a pas déjà rêvé qu'un tel amour soit possible?»

Elle voulut connaître la suite de cette grande aventure et

ne manqua pas de me demander un moyen de me rejoindre dans les jours suivants afin de prendre des nouvelles. Elle s'empressa de sortir son agenda pour y consigner mon adresse de courriel. Dès le lendemain matin, je reçus un message de sa part; elle s'impatientait déjà de connaître les détails de ma rencontre.

Je lus son message avec quelque profond soupir et une infinie amertume.

Honteuse, je le laissai s'évanouir dans le néant et feignis son égarement dans le cyberespace.

Tout, d'une manière ou d'une autre, semblait s'anéantir.

Je me rappelai avec ironie l'enthousiasme débridé de l'agente de voyage, une quinquagénaire à la Castafiore, aux cheveux flavescents, dont la silhouette opulente menaçait à tout instant de faire éclater les coutures de sa robe.

— Oh! mon Dieu, que c'est beau! s'était-elle enflammée avant de faire de sa vie un roman d'abnégation.

Les deux fois où je la rencontrai, pendant les préparatifs du départ, elle me narra sans fin les aléas de sa vie sentimentale passée, présente et future. Pour le peu que je lui avais raconté au sujet de mon périple, elle s'était passionnée:

— Vous allez donc rejoindre votre amoureux là-bas? avait-elle gazouillé en remplissant les papiers nécessaires à la réservation de mon billet pour le dégrisement. Ce qu'il doit être empressé de vous voir arriver! La Belgique, c'est si beau! Vous tâcherez de visiter les châteaux et les cathédrales, hein? Si tant est que vous vous intéressiez à l'architecture... Vous savez que ce pays est, en quelque sorte, le royaume du chocolat? Il existe là-bas un musée entièrement consacré à celui-ci et au cacao! Vous le trouverez en plein centre de la capitale; il est très facile d'accès. En fait, il est situé dans la Maison des Ducs de Brabant, qui est — soit dit en passant — l'un des plus importants édifices de la Grand-Place. À propos, il paraît, dit-elle en chuchotant et en jetant un œil circonspect autour d'elle, que le chocolat est un aphrodisiaque; enfin, c'est ce qu'on raconte... il ne faut peut-être pas tout croire, vous savez, mademoiselle, mais n'empêche... Haaaaaaaaa! Quelle merveilleuse histoire d'amour! avait-elle babillé dans un soupir envieux.

N'eût été que j'étais moi-même dans un état frénétique à l'idée du départ, je ne sais si j'aurais su, en d'autres circonstances, subir son exubérance plus longtemps. En me remémorant ses verbiages, je me désolai de leur avoir permis d'encenser mes projets déraisonnables.

J'eus une pensée similaire en regard de l'appui d'une amie de longue date.

— Va! m'avait-elle dit. C'est fabuleux! Tu as la chance de vivre une histoire d'amour extraordinaire, alors fonce! N'hésite surtout pas! Pars à l'aventure!

Comment ces femmes ne savaient-elles pas plus que moi — éblouie par mes rêves — à quel point cette quête était insensée? J'avais l'impression de supporter, sur mes frêles épaules, le poids de toutes les chimères féminines. Comme j'allais les décevoir, à mon retour, lorsqu'elles m'interrogeraient! Elles m'en voudraient, à n'en pas douter, ces femmes dont le rêve devait se réaliser par procuration, de les avoir abusées de la sorte autant que moi-même.

Peu de mes amis avaient manifesté de véritables réticences à propos de cette excursion outre-mer. Il avait bien fallu un homme — et un seul — pour m'objecter dans une spéculation burlesque tout à fait hilarante, que je déchoirais peut-être dans l'univers glauque d'un parfait déséquilibré qui aurait tôt fait de m'enchaîner au lit pour me sodomiser jusqu'à ce que mort s'ensuive!

J'avais rigolé à en avoir mal au ventre.

Sans me retrouver dans cet extrême saugrenu, je n'entendais plus à rire.

Chapitre 2

Cette déconcertante histoire d'amour avait débuté de façon plutôt banale, dans les méandres d'Internet, par un croisement dû au hasard. Je n'avais pas cherché cette rencontre — du moins pas sciemment — mais tout compte fait, elle survenait à point.

Ma vie, auprès d'un homme devenu ennuyeux, n'était plus faite que de mélancolie et d'amertume. Chaque fois que je m'observais dans le miroir, je m'inquiétais de posséder un regard aussi sombre. Il me semblait qu'on pouvait se perdre dans le puits sans fond de ma prunelle et que la flamme qui, jadis, m'avait faite radieuse, était désormais éteinte, ne me laissant plus que ce charbon mat sous la paupière.

Nos premiers courriels furent d'abord assez anodins. Ils portaient sur tout et sur rien à la fois et se profilèrent d'emblée comme un simple échange culturel. Toutefois, au fil de nos discussions, nous nous découvrîmes de nombreux intérêts semblables et des aspirations spirituelles communes qui nous réjouissaient mutuellement chaque fois que nous reconnaissions, sous la plume de notre correspondant, l'écho de nos propres préoccupations existentielles. Nos inépuisables conversations sollicitaient des dissertations parfois laborieuses dont le défi d'introspection nécessaire nous poussait l'un et l'autre à nous préciser, et nous procurait le sentiment d'une meilleure notion de notre propre individualité. Jamais, autant qu'avec lui, je n'avais connu cette impression de posséder une conscience aussi éclairée de moi-même et de me rapprocher de ce qui aurait pu en être une sorte de définition. C'est ainsi que nos échanges redoublèrent, chacune de nos lettres faisant l'objet d'une attente fort impatiente. Et c'est sans doute à coups de quelques citations partagées, extraites d'œuvres sublimes de beauté et de poésie, que nous entamâmes vraiment, sans en avoir tout à fait conscience, les préliminaires d'une histoire d'amour dont nous ne pouvions soupçonner la fatale issue.

Nos innombrables missives, qui pendant longtemps préservèrent l'élégance du vouvoiement, m'amenèrent peu à peu à divulguer les rêveries qui m'habitaient et me faisaient souffrir.

Un jour, je tins entre mes mains *La Princesse de Clèves* et la lecture que j'en fis m'ébranla. Le récit d'une telle fougue amoureuse provoqua en moi de violents remous. Je lus le roman avec avidité. Je pleurai l'infortune de la princesse en qui je reconnaissais une part de mon tempérament passionné. Toutefois, je ne pus m'empêcher de lui reprocher d'avoir été en quelque sorte son propre bourreau et de choisir en définitive l'ascèse — enfin libérée par la mort de son époux — plutôt que la félicité de ses amours avec le duc. Révoltée contre cette incroyable abnégation — que je réalisai comparable à la mienne — je jugeai que l'ère de la résignation était révolue.

Mais ce constat provoqua d'emblée, dans mon esprit romanesque, plus de contradictions que de détermination.

La crise sentimentale dans laquelle je me trouvais devait sans doute laisser transparaître une grande fragilité. Néanmoins, je ne crois pas qu'Edy ait tenté d'abuser de cette faiblesse en quelque instant que ce soit. Il semble plutôt qu'il ait perçu dans mes propos une fraîcheur nouvelle qui le changeait de ce qu'il avait connu auparavant; une sorte d'innocence juvénile qui l'avait séduit et dans laquelle, malgré les trente années qu'il avait de plus que moi, il s'était reconnu lui-même comme un éternel enfant.

Aussi surprenant que cela puisse paraître, ce qui nous semblait le plus fascinant, dans ces liens privilégiés que nous avions tissés, était précisément le caractère virtuel de cette relation. Prenant forme dans l'immatérialité, elle nous situait dans un univers transcendant, où nous nous retrouvions bien au-delà du paraître. Seul l'être prévalait. Toute considération tangible influait peu dans la connivence qui nous rapprochait l'un de l'autre. Seule une étonnante interpénétration nous unissait de manière insolite.

Après quelque temps de cette correspondance florissante, notre complicité s'était développée de manière si singulière que nos échanges, devenus clandestins au fil de l'intimité qui s'y était glissée, m'obligèrent de plus en plus souvent à me lever la nuit pour lire ses missives et lui livrer en retour mes états d'âme. Je m'affairais ensuite à faire disparaître aussitôt toute trace de ces courriels passionnés.

L'interdit suscitant la convoitise, nos lettres luxuriantes se transformèrent peu à peu en propos allusifs pour devenir enfin explicitement lubriques. Dans notre imagination débridée, nous faisions l'amour comme des fous. Par la magie de la fiction, tout nous était permis. Je lui offrais la fougue de ma jeunesse, il m'offrait ses privilèges d'homme d'expérience. Des scènes de tendresse préludaient chacune de nos folies, lesquelles se terminaient inéluctablement par un brûlant corps à corps, tout virtuel qu'il fut. Malgré la distance qui nous séparait, nous avions l'impression de ressentir les moindres caresses de l'autre qui, à défaut de chair palpable, se prodiguaient à l'âme.

Rien ne me paraissait alors plus réel que cet enivrement du cœur et de l'esprit.

Désormais alanguie par l'emprise qu'exerçaient sur moi ces lettres sensuelles, j'aspirai à l'incarnation de ma féminité dans sa dimension la plus épicurienne.

Je voulus être femme.

Intensément femme.

C'est ainsi que, quelques semaines à peine avant de traverser l'océan, j'avais fui le domicile conjugal.

Chapitre 3

Au milieu de l'agitation aéroportuaire et de celle qui sévissait en mon âme, j'observais Edy à la dérobée, sans rien écouter de son discours qui m'ennuyait et que je me contentais d'entendre sans chercher à comprendre, comme s'il s'agissait de la simple trame de fond d'un drame qui se jouait d'abord dans mon esprit.

Je m'abandonnai douloureusement à quelques réminiscences de nos récentes élucubrations épistolaires, dont l'une où nous nous imaginions dans une jolie petite maison de la campagne européenne où nous nous serions installés, pour vivre ensemble, au sein de la nature. Ravi de retrouver la beauté singulière du berceau de son enfance, Edy s'y serait senti en totale osmose avec elle; et moi, j'aurais été comblée d'un tel retour au jardin d'Éden.

J'aurais suivi cet homme n'importe où, jusque dans les coins les plus reculés de la forêt vierge où il aurait bien voulu m'emmener, loin de l'aberration des villes.

Dans le charme quasi indescriptible de ce petit refuge inventé, nous aurions pu admirer ensemble les magnifiques prairies offertes à notre regard, tout imprégnées du sublime parfum de l'herbe verte, et rêver ensemble, étendus dans les prés, à tenter de percer les mystères du ciel.

Par l'un de ces magnifiques après-midi où le soleil brillerait doucettement entre quelques grands nuages blancs, éparpillés dans le ciel, et où le bruissement des feuilles des arbres murmurerait aux âmes attentives toute sa poésie, il serait rentré des champs pour me trouver à la cuisine en train de préparer des tartes aux petits fruits sauvages, cueillis la veille entre quelques fous rires et de multiples prétextes à faire l'amour dans l'herbe. À ce souvenir encore frais, le sang refluerait dans tout son corps, ses mâles mains avides se gonfleraient de veines. Reluquant la finesse de mes jambes sous ma robe, il imaginerait la moiteur de mes cuisses et la chaude mollesse de ma chair invitante. Dominé par un impétueux désir, il dénouerait mon tablier en moulant son corps derrière le mien et, en mouillant ma nuque de ses baisers, il soufflerait à mon oreille quelques indécences qui me feraient sourire. Son sexe gorgé de désir réclamerait l'assouvissement. Il me retournerait contre la table, ferait glisser le tissu de ma robe jusque sur mes hanches pour goûter avec gourmandise à ce petit fruit qu'il préférait entre tous. Sa bouche affamée remonterait ensuite le long de mon corps pour venir enfin rejoindre la mienne. Il relèverait ma cuisse et me soulèverait afin de me déposer sur la table, par-dessus la pâte abaissée, au milieu des assiettes. Alors que nos lèvres se dévoreraient passionnément, il glisserait sa large main sous ma nuque et dans mes cheveux, puis viendrait me chuchoter encore à l'oreille des mots d'amour qui m'embrouilleraient pour quelques instants. Émue par ses caresses, je serais ivre de la douceur de sa paume revenant sur ma joue et ramenant avec elle quelques longues mèches de mes cheveux enfarinés. Il ferait trembler la table de sa virilité et, gémissante, j'enfoncerais mes ongles dans sa chair, alors que le sac de farine et les assiettes de tôle, sous le coup des secousses répétées, iraient percuter le sol et se répandre dans la pièce en un roulement de tonnerre.

Je ne compte plus le nombre de scènes comme celles-là que nous avions inventées et qui succédaient, de temps à autre, à nos tirades épistolaires.

Maintenant, elles se révélaient absurdes.

Pourtant, je m'attendais à rencontrer là-bas un homme, ni plus ni moins bien qu'un autre, ni plus ni moins beau qu'un autre, mais tout simplement un homme dont j'avais le sentiment d'être amoureuse. Mon seul amour, croyais-je, suffirait à le rendre extraordinaire à mes yeux parmi tous les autres hommes de la terre.

Il me restait encore trop de candeur.

Là, en ce moment, j'étais assise devant lui, à des milliers de kilomètres de chez moi et de mes utopies, sirotant un café dont il me coupait l'envie. Je ne pensais déjà qu'à retourner au Québec par le premier avion et oublier… oublier que j'aie pu être si naïve. J'avais fait l'erreur de prendre au sérieux le roman d'amour que nous avions construit avec nos illusions. Je regrettais d'avoir cru possible d'atteindre le septième ciel. Maintenant que j'avais posé le pied dans la réalité, ma fulgurante dégringolade m'avait décroché la mâchoire; j'étais pratiquement incapable de prononcer un seul mot.

Comment se pouvait-il que la réalité soit si différente? Toutes ces lettres qui nous avaient précédés; autant de liens solidement noués, m'avait-il semblé, qui tout à coup se rompaient par ma foudroyante désillusion. J'avais beau tenter de m'accrocher désespérément à un vestige de rêve, tout se désintégrait au milieu de mon cauchemar.

— Tu es vraiment jolie, tu sais, me dit-il, m'extirpant de mes profondes distractions.

J'esquissai un sourire qui dut se révéler un peu niais devant cette affirmation soudaine, à laquelle je ne pouvais accorder la moindre réciprocité. J'espérais qu'il lui parût plutôt timide, mais il ne devait quand même pas être si crédule. J'étais confuse d'imaginer qu'il pouvait très bien lire dans mes yeux ce qui n'était pourtant écrit nulle part. Aussi le fuyais-je du regard tant qu'il m'était possible, trahissant du même coup, je le suppose, mon pénible malaise.

Comment se passaient donc les choses derrière ses yeux? De nous deux, n'y avait-il que moi pour subir ce terrible désenchantement? Qu'adviendrait-il de tous ces désirs que j'avais vu naître dans nos lettres et qui s'étaient enflammés comme des brasiers? Que deviendraient tous ces sentiments que déjà, j'étais prête à désavouer?

Je repensai à la petite photo de lui que j'avais emportée dans mes bagages. Elle avait passé beaucoup de temps sur ma table de chevet, dans les jours précédant ce voyage, et je m'étais chaque soir endormie près d'elle, un sourire dessiné sur les lèvres, le cœur gonflé d'amour et le corps languissant de désir. À présent, je tentais d'associer les traits de l'inconnu que j'avais devant moi à ceux de l'homme sur l'image et je n'arrivais qu'à reconnaître un faible lien de parenté entre les deux. C'était à partir d'une seule prise de vue, où il apparaissait un peu plus jeune, associée à la chaleur de sa voix mélodieuse, qui me berçait lors de nos interminables conversations téléphoniques, que je m'étais représenté l'allure de l'homme pour lequel mon cœur avait chaviré.

J'avais construit un mythe.

Maintenant, les trente années qui nous séparaient l'un de l'autre me faisaient l'effet d'un tremblement de terre tant la conscience que j'en prenais tout à coup m'ébranlait.

J'eus honte de ma naïveté.

J'étais désemparée de ne plus pouvoir faire confiance à mes propres impressions. À qui ou à quoi pouvais-je m'en remettre à présent?

Je me trouvais en compagnie d'un étranger, dans un pays inconnu, au cœur d'un scénario imprévu.

Chapitre 4

Dans le stationnement souterrain, il me déverrouilla, de l'intérieur, la portière de sa petite Volkswagen Jetta. J'eus peine à poser les pieds sur le tapis tant de multiples objets hétéroclites jonchaient le sol de la voiture. Dès qu'il tourna la clé dans le contact, la petite bagnole grise parsemée de rouille se mit à cracher un bruit d'enfer qui retentit entre les murs de béton et les nombreuses autres voitures. Je fis semblant de ne pas en être trop incommodée. Il dut remarquer à tout le moins mes yeux qui s'écarquillèrent, car il m'examina d'un petit air moqueur.

— Écoute... me dit-il, une fois sur l'avenue Léopold III, en baissant la fenêtre, écoute-moi ce bruit-là! On dirait un vrai moteur de Porsche! T'entends ça? C'est pas beau, ça? Tout le monde se retourne sur notre passage en croyant en apercevoir une! Ils la cherchent en vain, bien sûr... eh bien moi, je leur envoie effrontément la main pour les saluer!

De fait, il sortit le bras par la fenêtre et, d'un air espiègle, envoya la main aux gens qui se retournaient vers nous.

Astucieux, il avait muté sa gêne à ce propos en une sorte de fierté. Son attitude, irrévérencieuse, mais plutôt amusante, me fit esquisser un léger sourire qui se voulait tendre et complice, mais qui dut révéler quelque peu mon affliction.

C'est ainsi que je compris vraiment cette faculté qu'il avait d'enjoliver les choses les plus ternes afin de les rendre belles et acceptables. Cela lui rendait la vie moins pénible, j'imagine. C'était sans doute le poète en lui qui se manifestait de la sorte. Je me pris à penser que, dans notre histoire, il avait peut-être été plus victime que moi du foisonnement de son imagination.

Mon regard et mes pensées se perdirent dans le paysage qui défilait et le silence envahit le reste du voyage. Pas de radio, que nos pesants soupirs, que le bruit de sa fausse Porsche pour nous distraire du malaise qui nous séparait.

Le ciel était lourd d'amertume.

Tout comme le fardeau de mes déboires amoureux.

Cette histoire se révélait navrante depuis que le mauvais sort l'écrivait à ma place, au mépris de mes lubies épisto-laires.

L'imaginaire toujours aussi déployé, je me voyais comme dans un mauvais film. J'entendais même le piano mélan-colique qui nous accompagnait sur la route. De son côté, il semblait se perdre aussi dans d'obscures cogitations. Moi, je prétextais la fatigue du voyage et le décalage horaire pour expliquer mon impassibilité.

Je l'observais de temps à autre, du coin de l'œil, et je me disais qu'il n'aidait guère à l'image morose du pays.

Il se montra peu enthousiaste à me faire découvrir Bruxelles. Les quelques souvenirs touristiques que j'en garde se résument somme toute à la Grand-Place et à une immense cathédrale gothique à deux tours — dont je ne parviens pas à me souvenir du nom — située dans l'ar-rondissement historique de la ville. Je n'ai toujours pas oublié, cependant, le petit *Manneken Pis* duquel, paraît-il, on doit impérativement rapporter une photo lorsqu'on est visiteur, mais dont il s'avère que pas même les Belges ne sont en mesure de vous en raconter l'origine exacte. Ce person-nage mythique est tant fondu dans le décor bruxellois que les légendes n'en finissent plus de se contredire. Les uns vous parlent de lui comme d'un symbole de révolte sociale, les autres comme d'un héros mythique s'étant improvisé pompier avec les moyens du bord. Quelquefois, les Français s'en moquent en voulant mesquinement y voir l'incarnation d'un érotisme douteux.

Quoi qu'il en soit — quoi qu'il représente — il est toujours là, à l'œuvre, sur la médaille de mon porte-clés, des années après mon retour. Désormais, il a pris pour moi une signification toute particulière; quand je le regarde, il me rappelle la voix rauque d'Edy, souffrant, qui siffle de rage entre ses dents, au milieu de la nuit pénible:

— Je crois que je n'ai jamais été aussi fâché contre la vie. Là, elle est allée trop loin, et je voudrais bien lui pisser dans la gueule!

Chapitre 5

En route pour Linkebeek, la Belgique m'apparut comme Simenon me l'avait fait connaître: taciturne, monochrome, monotone, banale. Comment avais-je pu me figurer qu'on pouvait y vivre la grande aventure? Il n'avait fallu qu'un vieil Européen, fasciné par la jeune Amérique, pour me faire croire que je puisse être le Nouveau Monde venu jusqu'à lui.

Nous dûmes arrêter au Delhaize pour y acheter de quoi manger au dîner. Le bâtiment grisonnant, entouré de bitume, disposait d'aussi peu d'attrait que tous les autres immeubles que j'avais aperçus jusqu'alors.

Tout semblait terne dans ce pays bruineux.

— Va, choisis ce que tu veux, m'avait-il dit, c'est toi qui prépares le déjeuner; moi, je ne sais faire que des sandwichs au jambon.

Pendant que j'explorais le contenu des tablettes, il me suivait, les mains dans les poches, de plus ou moins loin. Cheveux ébouriffés, la bouche entrouverte, il avait le regard flottant.

Je ne reconnaissais pratiquement aucune étiquette et trouvais le moyen d'être déroutée dans les linéaires de ces contenants et emballages inhabituels. Je ne pensais pas qu'on pouvait être si dépaysé à l'intérieur même de la francophonie.

Alors que j'abandonnai pendant quelques secondes le panier à roulettes, afin de m'approcher du comptoir du boucher, il posa les mains dessus et s'en saisit le temps d'aller chercher des bouteilles de Coca-Cola un peu plus loin.

Je remarquai qu'il affichait un tempérament nerveux.

De son œil morne, il balayait les allées jusqu'à ce que, dans sa distraction, le bout de son chariot arrive aux pieds d'une vieille femme à l'air austère.

Un malaise s'empara manifestement de lui.

Sans comprendre, mais par prudence, je demeurai en retrait.

Je fis mine de n'avoir rien remarqué, mais je lorgnais dans leur direction de temps à autre. Il échangea quelques mots avec elle et je réalisai qu'il semblait la connaître, mais il se garda bien, pourtant, de me la présenter. Lorsqu'il me jeta un coup d'œil furtif, je fis sitôt semblant de me passionner pour les diverses coupes de viande.

Avec certitude, je puis affirmer que la vieille femme avait remarqué ma présence, mais elle joua avec talent une hypocrisie semblable à la mienne.

Ils se saluèrent avec embarras et rompirent, chacun de leur côté.

Il flâna, le temps de s'intéresser futilement à une boîte de conserve, avant de me rejoindre devant les rôtis de bœuf.

Devant mon air interrogateur, il fit la grimace, grommela quelque chose et déclara enfin:

— Cette vieille hyène est ma sœur aînée.

— Ah! fis-je, en me mordillant la lèvre inférieure, n'osant demander plus d'éclaircissements sur sa manière d'agir.

J'étais un peu surprise qu'il ne m'ait pas présentée à elle. Ma venue dans son pays n'avait-elle été annoncée à personne de son entourage?

Je m'interrogeai sur les raisons de cette distance soudaine qu'il maintenait entre lui et moi, depuis que nous avions mis les pieds dans ce commerce de quartier.

J'ajoutai quelques articles dans le panier, puis nous passâmes ensuite à la caisse sans avoir échangé d'autres propos.

En déposant le jambon sur le comptoir, pour fouiller dans mon porte-monnaie à la recherche de quelques francs belges, je poussai un long soupir d'ennui.

La scène était d'une horrible banalité.

Chapitre 6

La voiture s'arrêta dans le stationnement d'un vieux bâtiment de briques rouges.

— Je t'avais prévenue, hein, précisa-t-il en coupant le contact, mon appartement est modeste et un mec qui vit tout seul, ben... ça sait pas s'arranger.

J'esquissai un faible sourire avant de sortir cueillir les emplettes dans le coffre de la voiture.

Il s'occupa, quant à lui, de porter mes bagages.

Dans le vestibule de l'immeuble, une désagréable odeur d'humidité régnait. Pendant qu'il ouvrait sa boîte aux lettres et ronchonnait de n'y découvrir que des comptes à payer, j'observai l'endroit.

Quelques tuiles brisées au sol, le papier peint rayé, qui décollait des murs, et les fenêtres malpropres achevaient de me désenchanter.

Je remarquai les nom et prénom inscrits sur la petite porte de métal qui correspondait au numéro de son appartement: Ruben Vanderkeelen. Je ne fus pas étonnée de lire un autre nom que celui que je connaissais. *Edy Albert* était un pseudonyme qu'il avait commencé à utiliser au début des années soixante-dix pour les besoins de son travail. Il m'avait expliqué qu'en tant que parolier, il avait toujours préféré signer ses textes d'un nom qui ne sonne pas trop belge, afin de favoriser une diffusion dans toute la France. Depuis plus de vingt-cinq ans, les gens de son entourage avaient pris l'habitude de l'appeler Edy, et moi de même, puisqu'il préférait de loin ce prénom.

Je continuai de jeter un coup d'œil aux alentours.

Mon attention se porta sur un adolescent, assis par terre, le long du mur, qui roulait une cigarette. De ses yeux noirs, embusqués derrière ses mèches rebelles et pâles, il me dévisageait comme si ma présence avait quelque chose d'insolite. Je soutins son regard, mais Edy me sollicita avec empressement en m'indiquant du doigt le petit escalier qui descendait au sous-sol et dans lequel il fallait apparemment s'engager.

Il passa derrière moi, hochant la tête à l'endroit du jeune homme et le fixant dans les yeux.

— Qu'est-ce que t'as, pauvre gosse, lui marmonna-t-il avec hargne... jamais vu une femme?

Le garçon, embarrassé, haussa les épaules, puis quitta prestement les lieux.

Je savais qu'Edy avait le caractère difficile. Il se disait lui-même misanthrope parce que «les humains sont plus bêtes que les animaux», selon ce qu'il répétait sans cesse. Son tempérament farouche dépendait de l'enfance singulière qu'il avait vécue en compagnie d'un jeune loup rapporté clandestinement d'un voyage en Italie par son vieil oncle Henri. Le jeune animal avait l'heur d'être facilement confondu avec un curieux mélange bâtard aux yeux du voisinage ignare, mais le petit Ruben avait tout de même développé, sous les précieuses recommandations de son oncle, l'art de soustraire autant que possible son compagnon au regard humain; les loups faisant toujours l'objet d'une extermination massive, leur présence était alors rarissime et peu souhaitée, comme elle l'est d'ailleurs encore aujourd'hui en Europe.

Ruben avait pris soin du louveteau, avait gambadé et rêvé avec lui dans les forêts de la commune, où il passa sa jeunesse, pendant que le monde entier se déchirait dans une seconde guerre.

Lorsque les Allemands transgressèrent de nouveau la frontière du territoire neutre que constituait la Belgique, et que Bruxelles fut sous leur occupation, la mère de Ruben, outragée par la violence et les injustices, s'impliqua dans la Résistance, accompagnée de quelques voisines qui furent aussi recrutées par la même organisation. Elles étaient désignées pour porter assistance aux aviateurs dont l'appareil s'était écrasé en Belgique, tentant de les soustraire aux nazis et mettant tout en œuvre afin de les retourner en Grande-Bretagne. L'organisation s'occupait également de la distribution d'un journal clandestin anti-allemand qui portait le nom de *La Libre Belgique*; il valait mieux ne pas se faire prendre avec un exemplaire sous le bras.

La maison paternelle abrita donc, pendant quelque temps, des prisonniers de guerre évadés qu'on préservait des Allemands en les cachant dans un petit espace dissimulé de la cave froide et humide où Ruben leur portait à manger et à boire une à deux fois par jour avec, de temps à autre, un petit bassin d'eau pour leur permettre de faire un brin de toilette.

Ceux qui se terraient là, dans la pénombre de la cave, lui avaient raconté comment ils avaient été forcés de marcher plus d'une trentaine de kilomètres par jour, sans nourriture convenable et sans eau, maltraités par les tortionnaires qui abattaient froidement, sans aucun scrupule, les pauvres hommes qui s'avéraient incapables d'aller de l'avant sur le trajet difficile.

L'un des hommes rouspétait qu'il ne fallait pas raconter

de telles misères à un gamin de cet âge mais, curieux, Ruben finit tout de même par apprendre comment ils avaient tenté, au péril de leur vie, d'échapper à quelques reprises aux mains allemandes, mais aussi de quelles manières leurs tentatives avaient échoué et comment ils furent réintégrés, chaque fois, avec une cruauté croissante, dans le groupe de prisonniers.

Ils racontèrent à Ruben comment on leur apprenait la leçon en les brutalisant sans aucun ménagement jusqu'au jour où, au campement de Grammont, ils parvinrent à se faufiler dans les champs de blé où leurs bourreaux perdirent leurs traces. Ils restèrent cachés dans les bois pendant quelques semaines, se déplaçant la nuit sur quelques kilomètres, jusqu'à ce que Ruben et son loup les découvrent, terrés dans les buissons, et les ramènent discrètement à la maison où sa mère les prit en charge.

Lorsque à l'automne 1941, les Allemands entreprirent de démanteler la Résistance, l'angoisse s'empara des habitants de la maison. Une voisine fut interpellée et amenée à la Geheime Feldpolizei — la police secrète d'État allemande — sur la rue Traversière à Bruxelles. Une autre, allant s'informer de la disparition de ses filles, fut retenue pour interrogatoire; on l'arrêta à son tour et on l'envoya rejoindre ses filles à la prison de Saint-Gilles où elles étaient détenues. Les arrestations se poursuivirent en semant la terreur chez les rebelles et dans le cœur du petit Ruben, jusqu'au jour où les Allemands débarquèrent chez lui, emportant les réfugiés et sa propre mère, qui fut elle aussi conduite en prison.

Le jeune loup, s'étant opposé aux agresseurs, fut abattu froidement.

Ruben crut mourir de douleur lorsqu'il sentit sa vie s'anéantir en raison de la mort de son meilleur ami et de l'arrachement à sa mère, pour laquelle il craignait du coup le même sort.

Il avait protégé son loup des humains, tout comme sa mère avait protégé les réfugiés des Allemands; leurs secrets venaient d'être dévoilés au grand jour et les conduisaient maintenant au malheur. Une déchirure et une détresse immenses envahirent son âme d'enfant qui ne fut qu'en partie rassérénée par le retour de sa mère, libérée de la prison de Saint-Gilles à l'été 1942.

Quant à l'amitié inestimable qui s'était nouée entre lui et son loup, elle ne lui serait jamais rendue. L'enfant était inconsolable. Il considérait que la jeune bête fauve lui avait tout enseigné de son seul regard d'éternité. Sans un mot, sans un mouvement, juste par ses yeux, clairs, simples et purs, le jeune animal lui avait professé que la vie sauvage recelait tous les trésors du bonheur et de la liberté.

Ruben avait ainsi grandi en abhorrant les horreurs de la guerre et avait pris en aversion les humains qui le condamnaient à la honte de son espèce. Il estimait porter la marque indélébile de ceux qui ont grandi en compagnie d'un animal de meute. Même adulte, il restait étranger à une société qu'il concevait en rupture totale avec les valeurs naturelles et instinctives; une société où les jeux de pouvoir avaient pris un goût amer et émétique.

Dès le début de nos échanges épistolaires, je fus charmée par le regard simple et intuitif qu'il portait sur les choses de la vie quotidienne. Bien que né dans une famille catholique et pratiquante, Edy ne se réclamait d'aucune religion. Il considérait toute doctrine comme un outil d'asservissement du peuple, un immense leurre politique, une feinte pour esprits crédules. C'est particulièrement cette souveraineté d'esprit que j'admirais chez lui. J'avais été mariée trop longtemps à un homme qui ne trouvait de sens à sa vie que celui proposé par le catholicisme. Dans la dévotion obsolète de ce dernier, où celui-ci appliquait fidèlement les paroles bibliques et les indications du dernier concile, je sentais son esprit se déposséder, se dissoudre et s'enfermer irrémédiablement dans l'étouffante rigueur de principes de vie qui lui ôtaient toute initiative de raisonnement. Se rattachant avec obstination aux fondements de sa religion en se réclamant de leur archaïsme comme d'un gage de crédibilité et d'authenticité, il allait jusqu'à mettre en pratique sa ferveur religieuse en appliquant des lois désuètes inspirées de l'Ancien Testament. Pour lui, même la mythologie judéo-chrétienne n'avait rien de chimérique, mais constituait les assises de ce que, pour ma part, je considérais comme une foi aveugle et dupe. Je n'avais par ailleurs plus de tolérance pour la pratique religieuse désincarnée qui donne bonne conscience au coupable; maintes fois, avec lassitude, j'avais vu mon mari semoncer ses proches à propos de comportements contraires aux commandements de l'Église. Je me fâchais de le voir ainsi se préoccuper de la paille dans l'œil de ses frères, alors qu'il n'avait vraisemblablement pas conscience de la poutre qu'il avait dans le sien. Celui qui prônait avec tant de conviction les valeurs familiales et la sagesse de Dieu était en fait un père et un mari absent qui passait le plus clair de son temps à se soustraire à ses responsabilités, occupé à des projets excentriques ou encore assis dans un bar, ingurgitant une bière après l'autre, jusqu'à en perdre le fil de ses idées. Paradoxalement, c'est pourtant dans ce curieux état d'esprit qu'il postillonnait ses meilleurs sermons aux serveuses de bar, ennuyées par son exubérance, alors que les autres quidams qui se tenaient à proximité, l'intelligence aussi embrouillée que lui par l'alcool, s'exclamaient unanimement devant son discours qui leur semblait rempli de justesse et d'éloquence.

Plus le temps passait en compagnie de cet homme, plus la vérité me semblait être ailleurs que dans cet amoncellement de préceptes, de dogmes et de commandements. J'en étais venue à détester les sempiternelles récitations psalmodiées du rosaire qu'on faisait à l'église tous les dimanches après la messe. L'intégralité de ces textes d'endoctrinement appris par cœur, leitmotiv des automates, me donnait la nausée.

Affranchi de toute idéologie religieuse, Edy exprimait quant à lui une logique étonnante et possédait un esprit de discernement hors du commun. Ce n'est pas qu'à l'âge adulte il tira un trait sur ses origines chrétiennes, mais plutôt que depuis sa tendre enfance, même s'il s'était régulièrement rendu à la messe dominicale où il espérait davantage faire plaisir à sa mère que sauver son âme, il avait depuis toujours développé la conviction que si Dieu devait exister, inexorablement, il ne pouvait mieux se manifester que dans la nature, sa propre création. Toute organisation humaine, par essence limitée, ne pouvait que s'en éloigner. D'autre part, il avait toujours douté de l'existence de l'âme, dont il disait ne pas vraiment saisir en quoi elle devait consister.

— L'âme, je ne sais pas ce que c'est, disait-il. Ce doit être une bien fâcheuse maladie pour qu'on en suive l'évolution de si près et qu'on préconise sa guérison en la traitant de cette manière à grands coups de prescriptions.

Il mit du temps à retrouver les clés de son appartement dans l'une des poches de son manteau. Lorsqu'il ouvrit enfin la porte, l'endroit m'apparut très sombre. La minuscule cuisine, située juste à la gauche de l'entrée, était dans un état pitoyable. Le comptoir et l'évier étaient envahis de vaisselle sale et des sacs de papier et de plastique jonchaient le sol. Plusieurs bouteilles vides de Coca-Cola bordaient le réfrigérateur.

— Quel foutoir! Hein? s'exclama-t-il, alors que je levais discrètement un regard exaspéré vers le ciel.

Je m'étonnai de le voir habiter dans un semblable taudis.

De lourds rideaux, qui tombaient par terre, cachaient les grandes fenêtres qui longeaient le mur du fond de son petit deux pièces et demie. Sur le divan défraîchi, un cendrier débordant de mégots, des feuilles gribouillées et des crayons usés étaient à la traîne ici et là. Le lit, juste derrière, était défait. Dans un coin, une guitare était appuyée sur des boîtes de carton et des feuilles étaient éparpillées sur le dessus. Sa table de travail était pareillement dans un désordre incroyable.

N'importe quelle autre histoire comme celle-là, me disais-je, aurait pris fin précisément à l'instant où les regards s'étaient fracassés à l'aéroport, mais la mienne, par malheur, en avait encore pour au moins deux semaines d'agonie; le billet d'avion aller-retour qu'il avait lui-même payé pour que je vienne le rejoindre sur son continent m'obligeait définitivement envers lui.

Où cela allait-il me conduire?

Pourquoi, dans ma fichue cécité amoureuse, arrivais-je toujours à inventer d'emblée aux hommes un charme inexistant pour ensuite m'ouvrir trop tard les yeux et les découvrir en réalité exécrables?

L'odeur de faisandé qui imprégnait l'endroit me répugnait.

Dans ma naïveté, j'avais imaginé que le «peu de désordre» dont il m'avait prévenue annonçait une simple

«coquetterie» masculine... En fait, la place était franchement peu accueillante et je ne pouvais pas m'imaginer passer
quinze jours dans un pareil fouillis avec un homme qui
m'apparaissait maintenant comme un pur étranger.

Comment en était-il arrivé à s'accommoder d'un tel
réduit? Quel mauvais sort, jeté par quelque fée Carabosse,
avait bien pu le destituer de ses particularités princières?

Il m'avait pourtant raconté qu'étant le fils d'un impor-
tant homme politique, il avait grandi en fréquentant le
milieu aristocratique. Les fonctions paragouvernementales
exactes de son paternel étaient toutefois demeurées plus ou
moins nébuleuses dans ses impressions d'enfant. Il remar-
quait simplement que son protecteur enchaînait les voyages
d'affaires et ne demeurait jamais très longtemps à la maison.
Sans cesse sollicité par les missions diplomatiques, lorsqu'il
s'y trouvait, c'était pour s'enfermer avec des dignitaires dans
son prestigieux bureau où il trônait, cigare entre les dents,
sur son impressionnant fauteuil en cuir d'Italie.

Bien que la famille ait eu un pied-à-terre à Monaco afin
de le suivre dans ses déplacements les plus importants — les
affaires paternelles (selon toute apparence lobbyistes,
d'après les conclusions du fils) exigeant la fréquentation de
la principauté monégasque — Edy n'en avait pas moins le
sentiment d'être étranger à son procréateur. Il jugeait, avec
mépris, que ce dernier ne revendiquait la présence familiale
à ses côtés que de manière opportuniste lorsque, dans les
événements stratégiques, les cartes de l'époux exemplaire et
du bienveillant père de famille se devaient d'être jouées.

La frustration d'Edy devint si grande à cet effet qu'un
jour, à l'âge de la délinquance, il en vint à braquer un fusil
sur les tempes suintantes de son géniteur, complètement
affolé. Dans une querelle retentissante, Edy exigeait de lui

qu'il reporte un voyage afin de demeurer au chevet de sa femme gravement malade. Il le soupçonnait de n'avoir pas que des intérêts politiques à Monaco et l'idée que son père ait une ou quelques maîtresses lui donnait la nausée. Tel un authentique loup, l'esprit de clan coulant dans les veines, Edy n'entendait plus tolérer pareille trahison. Sa mère, qu'il élevait presque au rang de sainte femme, ne méritait pas, selon lui, pareille indifférence.

Le rejeton avait grandi bien au-delà de la prise de conscience paternelle et affichait dans son geste menaçant une assurance absolument déconcertante. À vrai dire, le fusil était faux — un simple jouet, mais quelle parfaite imitation! Dans la pitié fielleuse qu'il inspira au fils, le père, terrorisé et dépité, acquiesça aux exigences de sa progéniture et veilla finalement aux soins de sa femme souffrante.

Edy avait donc grandi dans une spacieuse résidence de pierre, ceinturée de haies expertement taillées, campée dans l'un des plus chics quartiers bruxellois où s'agglomérait toute l'élite de la société belge. Je voulais bien tenter de comprendre que, dans son abjuration des futilités mondaines, il avait fait le choix d'un mode de vie plus modeste — une forme de simplicité volontaire — mais j'avais le sentiment que quelque chose m'échappait. La haute bourgeoisie, dont il était issu, ne répondait pas le moins du monde à autant de laisser-aller. La maison de son enfance, qui s'était trouvée quotidiennement animée par les patients travaux du jardinier, la dévotion de la gouvernante et les allées et venues incessantes du chauffeur privé de la distinguée famille, devait bien avoir laissé en lui quelque empreinte de raffinement dans l'art de vivre! Par contraste, je me référai à sa prétention d'être un parfait dandy, et ce seul souvenir acheva de gâcher ma croyance en une supposée lucidité de sa part.

J'allais de désillusion en désillusion.

Étouffant une plainte confuse en considérant le gîte qui devait m'accueillir pendant mon séjour, je me convainquis que mon obsession de la propreté — découverte à l'instant — me faisait voir les choses avec trop de sévérité. Cela ne m'empêcha pas d'être fâchée de découvrir que mon hôte ait été aussi peu prévenant. Si, dans sa conception des choses, l'authenticité allait jusqu'à négliger de mettre un peu d'ordre dans son logis en perspective de ma visite, la transparence me sembla avoir des limites, imposées par une élémentaire bienséance!

J'entrepris de ranger un peu le logement pendant que je l'envoyai quérir quelques produits nettoyants et désinfectants pour la cuisine. En une heure à peine, la petite pièce prit un air convenable. Les armoires de mélamine, redevenues d'un blanc éclatant, reflétaient maintenant la lumière du jour, que j'avais invitée à pénétrer dans l'appartement par le biais des grandes fenêtres en les dégageant de leurs lourdes barricades. Un parfum de propreté envahissait le petit refuge et me laissa espérer un séjour plus agréable.

Edy me donna bien un petit coup de main pour nettoyer les armoires, mais alléguant la fatigue et sa mauvaise forme, il me regarda faire ensuite en fumant langoureusement une cigarette et en protestant contre ma trop grande générosité, insistant sur le fait que je n'étais quand même pas venue d'Amérique pour ranger les choses d'un vieux Belge cloîtré.

En fait, mon geste était bien égoïste; il m'apparaissait hors de question de passer deux semaines dans un refuge aussi lamentable.

Je frottais ici et là, depuis mon arrivée, pour tenter de dissimuler l'incroyable confusion dans laquelle je me trouvais. J'espérais que mon ouvrage excusait mes longs silences. Je ne pouvais empêcher mes pensées de s'égarer dans des considérations peu réjouissantes. L'homme que j'avais imaginé n'existait pas et j'en portais secrètement le deuil.

Je venais toutefois d'imprégner sa tanière de mon odeur; je n'en avais pas vraiment conscience.

Ce lieu, dans lequel il vivait tel un ermite, se trouvait tout à coup envahi par ma présence féminine. On aurait dit que cela avait pour lui quelque chose d'enivrant en même temps que de menaçant. Peut-être aurait-il été moins méfiant s'il n'eut pas senti que quelque chose n'allait déjà plus entre nous deux.

Ses cheveux gris et décoiffés; son regard pénétrant, d'un bleu presque glacial; sa mâchoire maigre et creuse; la peau flasque de ses joues; ses dents longues et jaunies par la cigarette qu'on ne pouvait apercevoir que lorsqu'il esquissait un sourire ressemblant davantage à une grimace; tout cela, amplifié de son mutisme observateur, commençait à m'effrayer drôlement. Que connaissais-je vraiment de cet homme?

Il m'examinait d'une manière dérangeante, presque éhontée, en soufflant la fumée de sa cigarette sans jamais me quitter des yeux. J'esquissais alors un petit sourire nerveux qui devait révéler mon inconfort.

J'avais l'impression qu'il savait tout des frayeurs que je tentais de dissimuler.

Il ne parlait pas; son silence était étudié, stratégique.

Il observait, calmement, l'expression de mon malaise; analysait le moindre de mes gestes et considérait mes faibles sourires avec ironie.

Je lançais de temps à autre une banalité, afin de créer une diversion, mais il me semblait qu'au contraire, je donnais de la pâture à l'analyste.

Je me mis à spéculer avec angoisse; j'étais peut-être maintenant dans la gueule du Loup.

Chapitre 7

Aux Cliniques universitaires Saint-Luc, une équipe de chercheurs du service d'hématologie suivait Edy de près. Il devait se rendre à l'hôpital pour des traitements, de manière hebdomadaire depuis trois ans, afin de soigner la forme de leucémie chronique dont il souffrait.

Je n'avais pas vraiment idée de l'ampleur réelle de sa situation. Il ne parlait que très peu des détails entourant son état de santé. Il ne mentionnait que les progrès issus de ses traitements. Alors que la maladie s'était infiltrée en lui, coulait sournoisement dans ses veines et le rongeait de l'intérieur depuis plus d'une décennie, il connut miraculeusement — quelque temps avant mon arrivée en Belgique — une rémission complète, certifiée par les spécialistes qui en étaient eux-mêmes bouche bée. Rien, dans le suivi médical, ne pouvait expliquer un rétablissement si soudain. Seule l'humeur d'Edy, habituellement taciturne, avait pris une dimension étrangement débridée et avait mis la puce à l'oreille des chercheurs encore incrédules. Celui qu'ils surnommaient «le vieux grincheux» surgissait dans leurs locaux, depuis quelques semaines, en sifflotant allègrement. Il avait maintenant le sourire facile, s'amusait à courtiser les infirmières stupéfaites et philosophait joyeusement sur les beautés du monde qu'il semblait enfin remarquer; une phénoménale métamorphose qui laissait le personnel médical pantois devant les résultats indéniables des récents tests de laboratoire.

Il avait enfin retrouvé, m'écrivait-il avec jubilation, une raison de vivre.

La maladie avait été, dans son cas, selon sa propre psychanalyse, un «choix inconscient», une forme de suicide à long terme. La vie, telle qu'il l'avait subie jusque-là et autant qu'elle avait pu le décevoir, ne valait pas le coup d'être supportée plus longtemps. S'il n'avait pas mis fin à ses jours, dans un moment de désespoir et de lassitude extrêmes, c'est que tout comportement intentionnellement autodestructeur tenait pour lui du non-sens du point de vue du suprême instinct animal dont il se réclamait. On n'avait jamais vu une bête adopter une quelconque attitude suicidaire, observait-il. Il affirmait que l'instinct de survie conditionne chacun des comportements de l'animal et que, s'il se résigne à s'isoler pour se laisser mourir, ce n'est que lorsqu'il se sait lui-même trop blessé ou trop malade pour encombrer plus longtemps le cycle de la nature. Autrement, il se bat constamment pour vivre.

Dans les limites de ce raisonnement, l'acte suicidaire aurait exprimé, pour Edy, le reniement, voire la trahison du credo instinctuel auquel il prétendait. C'est donc dans l'expectative d'une délivrance apportée par la nature elle-même qu'il acceptait sa condamnation, en expurgeant ses culpabilités inconscientes, plus ou moins persuadé qu'il n'avait pas droit au bonheur.

Aujourd'hui, il me semble étrange d'envisager à quel point la mortification qu'il s'imposait, dans sa soumission à la souffrance, avait quelque chose de similaire avec la servitude du pénitent. Comme si, somme toute, il se reprochait avec une sorte d'humilité sa méprisable condition humaine.

Lui qui s'était jusque-là abandonné, sans véritable espoir, dans les bras de sa lancinante maladie, s'armait tout à coup contre elle en la limogeant par une nouvelle attitude salutaire. C'était grâce à moi, racontait-il, mais je refusai formellement d'assumer la charge d'une telle responsabilité; son exaltation m'effrayait. J'avais peine à concevoir un revirement aussi mystérieux. Néanmoins, il se disait, grâce au récent regain que lui procuraient nos liens épistolaires, un homme nouveau, rajeuni, et plein de nouvelles convictions.

Malgré cette guérison surnaturelle, Edy devait poursuivre avec assiduité ses rencontres médicales, car les médecins s'intéressaient d'autant plus à sa rémittence qu'elle était prodigieuse. Ils perdaient leur temps, selon lui, à chercher obstinément une explication scientifique. Il était convaincu de ne devoir son formidable rétablissement qu'au seul et unique triomphe de son prompt et flamboyant désir de vivre.

Ainsi l'objet d'une surveillance médicale accrue, il avait dû exclure l'idée d'un voyage au Québec afin de venir à ma rencontre. Il n'y avait pour autre solution que mon propre départ pour l'Europe. Seulement, je ne pouvais financièrement me permettre un tel voyage. Malgré cet impérieux besoin de nous rencontrer enfin au-delà des mots, la chose ne semblait pas possible. Elle ne devint envisageable que lorsqu'il se mit en tête de défrayer les coûts de ma traversée.

Par principe, je pouvais difficilement accepter un tel compromis, mais il insista, alléguant que s'il était venu lui-même à ma rencontre, il aurait tout de même dû dépenser cet argent, et que, tout compte fait, la seule chose importante était notre passage dans le réel, qu'il ait lieu sur un continent ou bien l'autre. L'événement devenait décisif; notre liaison ne pouvait perdurer éternellement dans la virtualité des mots. Je finis donc par me laisser convaincre, à force d'arguments déployés, de prendre l'avion à ses frais pour le rejoindre dans son plat pays dont j'ignorais jusque-là la mélancolie latente. J'avais deux semaines de vacances, à la fin du mois de février, qui me permettaient d'effectuer le voyage, sans quoi il m'était impossible de me rendre disponible avant l'été. Nous ne pouvions, dans notre impatience juvénile, nous imaginer attendre jusque-là.

C'est donc vers la fin de l'hiver que je traversai l'Atlantique pour aller à sa rencontre.

J'étais maintenant assise à sa table de cuisine, devant un steak et un peu de salade que j'effleurais du bout de ma fourchette.

Il m'observait, en mastiquant vigoureusement.

Il brisa tout à coup le silence accablant pour me demander si j'avais l'habitude de manger aussi peu.

J'accusai timidement le décalage horaire, encore une fois, d'être la source de tous mes bouleversements.

Il fit un long hochement de tête, sans conviction apparente, puis avala une autre bouchée de viande qu'il broya lentement de sa mâchoire émaciée avant de se lever pour aller quérir un cure-dent et se débarrasser sans gêne de quelque filandre coincée entre ses dents.

Je fis mine de reprendre de l'appétit en mangeant. Je ne voulais pas trop éveiller sa défiance et m'exposer à des questions embarrassantes.

Les intervalles entre nos fragments de discussions étaient pénibles, jusqu'à ce que, me raclant la gorge, je rompe avec résolution la morosité en lui parlant des cadeaux que j'avais apportés du Québec expressément pour lui: d'abord, du sirop d'érable pur que j'avais acheté en Beauce. Je lui en fis goûter pour dessert en lui montrant comment tremper des morceaux de pain, piqués au bout de sa fourchette, dans le délicieux sirop doré, puis comment rendre l'enrobage encore plus exquis en l'immergeant ensuite dans de la crème de table bien fraîche. Le mélange marbré de reflets ivoires et mordorés dégoulina sur la table et sur sa chemise, tandis qu'en le grondant affectueusement, je glissai ma main sous l'ustensile qu'il tentait tant bien que mal de faire tourner sur lui-même afin de retenir le précieux mélange. Nous partageâmes quelques bouchées gourmandes et ces quelques instants de plaisir complice apaisèrent un peu mon esprit agité en lui procurant une certaine quiétude.

Je lui montrai ensuite le superbe calendrier du Québec que je lui avais apporté; il était rempli de grandes et magnifiques photos en couleurs des plus beaux paysages de la province. Il admira longtemps les panoramas de Charlevoix, de l'Estrie et du Saguenay, avant de l'afficher au mur, à la page du mois de février, figurant la terrasse Dufferin, surplombée de l'imposant Château Frontenac, tout illuminé.

Il était sous le charme de l'Amérique et la fascination brillait dans ses yeux.

Il aurait tant aimé visiter le Québec; je ressentais sa déception d'avoir dû rester ici. Il m'en avait tant parlé, de son désir de fouler un jour le sol du Nouveau Monde. Il se plaisait à l'imaginer de façon idyllique, se le figurait propice à un monde meilleur, espérait que les loups, là-bas, y vivent librement dans la vaste forêt boréale.

J'espérais le rendre heureux avec ces splendides illustrations, mais je me rendais compte à quel point ce plaisir avait pour lui quelque chose de doux-amer.

Je sortis de mon sac à main un porte-clés arborant la photo d'un séduisant loup argenté d'Amérique du Nord, dont le regard pénétrant dégageait une sérénité envoûtante. Je le lui offris en me pinçant les lèvres. C'était là l'image que je m'étais faite de lui, alors que j'avais maintenant devant moi un vieil homme maigre et malade.

J'eus l'impression, en cet instant précis, qu'il pouvait lire dans mes pensées coupables.

Il manipula l'objet sans dire un mot, puis le déposa sur la table avant de se rendre à la cuisine pour y chercher à boire.

Le trouble dans lequel je me trouvai m'intima l'ordre de débarrasser la table et je commençai à faire la vaisselle pour le dissimuler.

Au bout de quelques minutes, il vint s'offrir en m'affirmant, amusé, qu'il n'avait pas fait ça depuis des lunes.

En soirée, je dus fouiller dans mes bagages pour prendre de quoi faire ma toilette. Je cherchais une chemise de nuit et quelques produits de beauté, lorsqu'en remuant les vêtements entassés, je distinguai entre eux, au fond du sac, un petit bout de tissu pourpre qui me mit mal à l'aise. Dans le dédale de mes désenchantements, j'avais parfaitement oublié cette nuisette de soie affriolante, ornée d'un pourtour de dentelle fine, que j'avais pourtant achetée en prévision de ce voyage. Qu'elle devenait dérisoire maintenant! J'eus honte d'avoir pensé à emporter pareille extravagance dans ma valise; elle témoignait de ma crédulité. C'est dans un grand vertige que je fermai les yeux une seconde pour souhaiter qu'Edy n'ait rien aperçu de cela. Je m'empressai de camoufler le négligé par d'autres vêtements que je disposai par-dessus. Heureusement, dans ma frivolité, il m'était resté encore assez d'entendement pour avoir la prévenance d'ajouter dans mon sac une tenue de nuit bien chaste et sobre sur laquelle, dans les circonstances, je jetai mon dévolu.

Lorsqu'il me vit fourrager dans mon sac, Edy me proposa d'utiliser la grande penderie située tout près du lit. Elle était pratiquement vide, m'apprit-il, et je pouvais — si je le désirais — y déployer tout mon attirail féminin. Ne possédant que quelques chemises et à peine plus de pantalons, il n'en occupait quant à lui que très peu l'espace. Je le remerciai bien poliment, mais déclinai son offre sans lui dévoiler toutefois mes réticences; je n'avais nulle envie de m'installer en ces lieux. Je souhaitais de loin garder formellement le statut d'invitée; celui-ci me permettait de garder toute la distance nécessaire pour éviter trop de familiarités. Avec toute la circonspection que m'inspirait l'équivoque de notre situation, je préférais me méfier et ménager la possibilité de quitter en tout temps les lieux, dans une seule action, en empoignant promptement ma valise. Ce calme comminatoire qui sévissait me faisait redouter l'éclatement d'une tempête.

Maintenant que j'avais perdu pied en descendant du septième ciel, j'avais grand besoin de me rafraîchir un peu et de me détendre sous la douche, afin d'évacuer toute cette tension qui m'exténuait. Le choc passé, les idées décantées, il serait peut-être envisageable, pensais-je, d'adopter ensuite une attitude un peu plus zen pour le reste du séjour.

Je lui demandai de bien vouloir me fournir une serviette. Il me répondit que j'en trouverais une dans l'armoire de la salle de bain. Je me dirigeai donc vers la petite pièce adjacente et c'est avec perplexité que j'examinai l'étroite pièce blafarde.

Je remarquai qu'il n'y avait aucune douche; seulement une baignoire qui se trouvait dans un état plutôt crasseux et par-dessus laquelle séchaient quelques vêtements suspendus à une installation de fortune.

Je réprimai mon mécontentement. Moi qui venais de me taper le ménage de la cuisine, allais-je devoir maintenant frotter le bain avant de m'y plonger? Par obligeance, j'édulcorai ma frustration avant de l'exprimer à Edy. Il se surprit de réaliser que j'espérais faire une toilette complète.

— Euh... quoi, tu veux utiliser la baignoire?

Je sourcillai, bouillante, l'air de dire que la chose m'apparaissait de la plus grande évidence.

— Ah! Vous autres, les Nord-Américains... vous avez une de ces obsessions de la propreté! Qu'est-ce que c'est que cette manie de tout vouloir aseptiser? dit-il, énervé. Comme si c'était naturel de se tremper dans le bain tous les jours jusqu'à devenir tout fripé, et puis de se frotter énergiquement, tel un paranoïaque, avec une brosse et du savon! Tu crois que c'est bon pour la peau, ça? C'est tout à fait contre nature...

Décidément, tout ce que j'avais entendu dire sur l'hygiène européenne n'était pas que légende. J'eus un frisson de dédain en apprenant qu'Edy n'avait pas coutume de prendre son bain tous les jours.

— Tu te laves simplement à la débarbouillette? demandai-je en grimaçant.

— C'est bien suffisant, non?

— Ça alors... marmonnai-je, on se croirait au temps de mes grands-parents...

Il adopta une attitude légèrement offusquée en allant chercher un produit à récurer qu'il me planta dans les mains avant de retourner s'asseoir devant le téléviseur.

Sans oser rien ajouter, j'entrepris de frotter le bain en maugréant contre les contingences du destin qui, loin de me porter sur les ailes féeriques du rêve, me persécutaient en m'obligeant à d'exécrables tâches ménagères.

Après avoir tout astiqué suivant mon zèle «typiquement nord-américain», je fus enfin prête à m'approprier le lieu pour la détente. L'idée des quelques instants d'intimité que j'envisageais m'apaisait. Je rassemblai mes effets personnels avant de m'engouffrer dans la petite pièce.

Je me dépitai de nouveau en constatant, cette fois, que la poignée de porte ne pouvait être verrouillée.

— La porte ne se barre pas? poussai-je dans un gémissement d'exaspération à peine voilée.

— Eh bien non, me répondit-il, presque autant hérissé que moi, mais il n'y a que toi et moi ici; c'est quand même pas si grave, non? rétorqua-t-il.

En fait, oui, la chose m'apparaissait tragique compte tenu de la promiscuité à laquelle je tentais de me soustraire. C'est donc avec contrariété que je fis hâtivement ma toilette, agacée par cette porte sans verrou qui menaçait de s'ouvrir à tout instant. Je l'imaginais assez fantasque pour prétexter un besoin perfide et urgent de venir quérir un rasoir — ou quoi d'autre encore — pendant que je macérais dans le bain, et feindre stupidement de fermer les yeux sur les parcelles de peau dénudées, exposées à sa vue.

Ma prodigieuse désillusion m'avait mise sur le pied de guerre.

⟨✠⟩

Il était très tard et je tombais de fatigue.

Au sortir de la salle de bain, j'avais enfilé ma chemise de nuit et m'étais assise sur son lit pendant qu'il veillait encore devant le téléviseur en fumant une cigarette et en sirotant son éternel verre de Coca-Cola.

L'agitation sur l'écran nous épargnait les discussions. La

soirée était aussi banale que si je l'avais passée chez moi, au Québec, dans mon propre salon. Dire que j'étais presque au bout du monde, et pourtant, la platitude s'acharnait.

La nuit qui approchait n'annonçait rien des passions enivrantes que j'avais prévues dans mes spéculations fantaisistes.

La Belgique était d'un ennui profond.

Je devais avoir l'air d'une idiote, ainsi alanguie, m'étant laissée aller sur le dos, à fixer béatement le plafond de cette antichambre du destin, égarée dans mes pensées grises. Je me forçai les muscles du cou pour relever la tête et l'apercevoir, de son côté, toujours aussi absorbé par la télévision, ne faisant pas plus de cas de moi que si j'avais été un fantôme. Après avoir poussé un long soupir d'ennui, frileuse, je me réfugiai sous les couvertures.

Ironiquement, nous étions plus proches et en même temps plus éloignés que jamais l'un de l'autre.

Nous avions si bien tourné autour du pot, depuis mon arrivée, parlé de tout sans rien nous dire de vraiment sérieux, en fait, que j'appréhendais la nuit qui tombait. J'ignorais si nous allions bientôt jouer cartes sur table. L'ajournement tacite de notre cause me rendait nerveuse et alimenta mes cauchemars nocturnes.

Chapitre 8

Lorsque j'entrouvris les yeux, je me sentis un peu perdue.

La lumière du dehors, tamisée par les lourds rideaux de coton beige, faisait flotter une petite constellation de poussières de soleil juste au-dessus du lit. Je clignai des paupières, le temps de réveiller mon cerveau encore engourdi par la nuit qui m'avait semblé trop courte. Un coup d'œil panoramique à la pièce et je me souvins, avec une légère déception, que j'étais en Belgique.

Encore somnolente, je me retournai sur le côté pour remarquer qu'il n'y avait personne. J'étais seule dans le grand lit défait.

Je m'assis alors en me frottant les yeux.

Le logement semblait désert.

Je m'avançai, appuyée sur mes poings, jusqu'au pied du lit, où était adossé le divan. J'étirai le regard pour voir, mais je n'aperçus personne. Je ne découvris qu'une couverture à moitié tombée par terre et un oreiller, qui portait une empreinte apparemment fraîche.

Il avait dormi sur le canapé.

Je me demandai comment j'allais bien pouvoir m'en sortir pour les quatorze nuits à venir.

Le cadran indiquait huit heures du matin. Je n'entendais aucun bruit dans l'appartement.

J'étais seule.

Je me laissai choir mollement sur le matelas, me perdis dans toutes sortes de divagations tantôt dramatiques, tantôt poétiques, tantôt purement banales, avant de remonter les couvertures jusque dessous mon menton, et laisser tomber mes paupières lourdes de fatigue.

Je voulais me rendormir de nouveau. J'aurais aimé me réveiller au Québec, comme au terme d'un mauvais rêve.

J'entrevoyais deux semaines de tourments.

Tous ces rêves déchus m'affligeaient. Combien de temps prendrais-je, en fait, même après mon retour, pour me rétablir de cette incroyable chute dans le vide?

Où était donc l'homme que j'avais désiré par le biais des lettres? Celui dont j'avais tant voulu goûter la peau sucrée, entendre les murmures coquins au creux de mon oreille, sentir le souffle sur ma nuque et savourer les caresses dans la chaleur et l'intimité de son lit. Ces mots qui faisaient que mon cœur se mettait soudain à battre la chamade n'étaient-ils pas les siens? Je n'arrivais pas à attribuer les propos tendres et amoureux, qui m'avaient fait tant rêver, au vieil homme que je découvrais.

Pouvais-je me contenter d'une pâle réplique? La seule chose que les deux hommes avaient en commun était les mots écrits; l'un étant en quelque sorte, dans ma tête, le Cyrano de l'autre. J'étais en ce moment dans l'appartement du simple sujet; mais je songeais encore au prince.

J'avais imaginé son regard envoûtant et ses doux cheveux noirs, retombant sur sa nuque, où j'avais mille fois glissé amoureusement les doigts dans mes pensées folles. J'avais inventé sa beauté, mythifié son charisme.

J'avais rêvé un homme.

Je dus somnoler un peu, puisqu'un bruit me sortit soudainement de ma torpeur.

Une porte venait de se refermer.

J'entendis des pas feutrés dans la pièce et je fis semblant de dormir jusqu'à ce qu'une douce caresse me frôle le visage et me force à entrouvrir les yeux.

Mon cœur se noua instantanément; je fus émue d'apercevoir sa main déposer une gerbe de roses rouges sur l'oreiller.

Il resta debout, près du lit, sans bouger, à me regarder avec un sourire affligé, gonflé d'une triste tendresse. Puis, il s'en alla s'asseoir à table, sans dire un mot, et alluma une cigarette qu'il fuma avec un chagrin apparent.

Je ne savais trop que penser; tentait-il de reconquérir celle qu'il avait préalablement charmée dans ses lettres; s'excusait-il de ne pas correspondre à mes attentes; se désolait-il de la situation ambiguë qu'il aurait voulu éclaircir ou implorait-il une nuit d'amour avec l'objet de son désir? Que voulaient dire ces fleurs? Il me semblait qu'elles me rendaient responsable de tout. Je ne m'estimais pas digne d'elles et me sentis honteuse. Cependant, je tentai de n'en laisser rien paraître et ne tardai pas à le remercier et à les disposer dans un vase improvisé que je plaçai au centre de la table de cuisine.

Il esquissa un petit sourire narquois en constatant l'effet décoratif. Jamais, me dit-il, un bouquet de fleurs n'avait ainsi fleuri aussi effrontément au milieu de son appartement.

Je m'en sentis coupable.

Il passa aussi la seconde nuit sur le divan. J'en étais extrêmement mal à l'aise. J'avais presque envie de lui proposer de prendre sa place la nuit suivante, mais je n'arrivais pas à m'y résoudre. Lui proposer pareil arrangement lui aurait fait comprendre clairement que j'espérais ne pas avoir à dormir avec lui durant mon séjour. Je ne me sentais pas encore capable d'une telle franchise.

Je me tus. Je craignais, plus que tout, les vérités douloureuses.

Chapitre 9

La journée suivante fut longue et nous fûmes relativement taciturnes. Nous allâmes nous promener au cœur
de Bruxelles. C'est là qu'il m'emmena aux pieds du célèbre
Manneken Pis, figé à jamais à l'intersection des rues du
Chêne et de l'Étuve, dans son célèbre geste frondeur. Je me
surpris de le découvrir si petit, lui qui faisait office de si
grand emblème du pays!

Il se trouvait là un groupe de touristes japonais — dont
nous ne comprenions rien aux propos assourdissants —
avec chacun un énorme appareil photo pendu au cou. Ils
n'en finissaient plus de prendre des clichés de l'un et puis de
l'autre souriant devant la fontaine où urinait le petit impu-
dique de bronze.

Nous arpentâmes la rue de l'Étuve jusqu'à la Grand-
Place qui fourmillait de gens. Les imposants édifices qui
ceinturaient l'endroit formaient un ensemble architectural
impressionnant et éclectique.

Peut-être était-ce cette bruine persistante qui m'engour-
dissait, mais je me sentais envahie par une confuse impression d'irréalité. La splendeur du décor historique et le bruit
claquetant des souliers sur le vieux pavé me donnaient l'impression d'un voyage dans le temps.

Curieusement, malgré notre mélancolie commune, je sentais une sorte de sérénité nous envelopper. Edy murmurait
presque les propos de la visite guidée qu'il m'offrait et sa
voix douce me berçait. Son pas, lent et flâneur, me calmait.

Je me sentis bien, avec lui, au milieu de la grisaille bruxelloise.

Nous arrêtâmes manger un petit quelque chose au restaurant La Rose blanche et nous poursuivîmes ensuite notre excursion en empruntant la rue du Marché aux Herbes. C'est en coupant par la Petite Rue des Bouchers que nous pûmes nous rendre jusqu'au pendant féminin du célèbre petit goguenard, baptisée *Jeanneken Pis*, et située quant à elle — ne manqua pas de souligner Edy, narquois — sur une petite ruelle nommée Impasse de la Fidélité.

Plus tard, nous nous rendîmes sur la rue de la Régence où se situe le Conservatoire royal de Bruxelles. L'édifice encadrait un petit jardin intérieur au centre duquel se trouvait une fontaine. Edy m'apprit que cette prestigieuse école existait depuis le début du XIXe siècle et qu'il y avait fait ses études. Alors que j'avais le nez collé aux portes grillagées, il me raconta que l'établissement avait formé les plus grands musiciens belges et que les étudiants qui le fréquentaient venaient de toute l'Europe et même du reste du monde.

Nous continuâmes notre promenade jusqu'au carré du Petit-Sablon — où Edy fit une pause afin de ménager ses «pauvres jambes» qui menaçaient de flancher — puis, nous aboutîmes au marché des antiquaires, à Place du Grand-Sablon, qui se trouvait envahi par une foule disparate et des brocanteurs de tout acabit.

Lorsque le soir et la fatigue tombèrent, nous nous rendîmes dans un faubourg, à une charmante taverne médiévale éclairée aux flambeaux. Il se cachait, derrière celle-ci, un petit château orangé, coiffé d'un toit vert-de-gris, régnant au milieu d'un modeste lac encerclé d'arbres filiformes. Des lierres dégarnis s'agrippaient à la clôture rouillée qui en interdisait l'accès. Le décor de l'auberge était charmant. Les murs de pierres et les robustes poutres en bois qui soutenaient les voûtes du plafond donnaient au lieu un cachet particulier. À l'entrée se dressait une armure de chevalier qui, brandissant une lance, semblait vouloir protéger les visiteurs plutôt que les menacer.

Edy fut avec moi, ce soir-là, d'une extrême obligeance. Il ne manqua pas une occasion de se montrer galant. Son air paisible et ses gestes gracieux avaient quelque chose de plaisant. Dans cette ambiance feutrée, nous partageâmes le repas et quelques propos laconiques. Plus tard, la bière du pays nous grisa un peu et suffit enfin à dissoudre quelques-unes de nos réserves mutuelles.

La soirée se faisait douce et caressante. Je reconnaissais maintenant dans ses propos les mots qui m'avaient fait chavirer dans ses lettres. Je me laissai bercer par sa voix suave, tandis que des frissons me parcouraient l'échine. Une musique ancienne, aux accents baroques, accroissait les charmes de ce singulier endroit. Edy me fit remarquer que c'était du clavecin, et qu'en Flandre, on en produisit une quantité impressionnante, spécialement vers la fin du Moyen Âge et le début de la Renaissance.

J'aimais beaucoup l'écouter me parler de l'histoire du pays.

Nous rentrâmes tard à la maison, en musardant un peu.

Peu de temps après notre retour — alors que je m'affairais à fouiller dans mes bagages en quête d'un tube de dentifrice — il prit sa guitare, s'assit sur le divan et commença à en gratter les cordes. Peut-être était-ce notre visite de l'après-midi au conservatoire qui lui en avait redonné l'envie, mais toujours est-il qu'il se mit à pousser quelques airs… en faussant. En rigolant, il resserra les cordes de l'instrument qui, comme lui-même, dit-il, s'étaient relâchées au fil des ans à force de ne plus servir.

En me parlant de ses passions de jeunesse pour la musique, il dessina distraitement quelques cercles dans la poussière qui recouvrait le bois de l'instrument. Il me raconta ses années d'études à la prestigieuse école. Il avait composé quelques airs qu'il me fit découvrir pendant qu'allongée sur le fauteuil, je l'écoutais silencieusement. Le plaisir qu'il prenait à tenter de se rappeler les notes me fit esquisser un sourire. Un filet de bonheur passa dans ses yeux. Il avait l'air heureux.

Il me relata quelques anecdotes de sa carrière en chanson. Auteur-compositeur d'authentiques succès, il avait vu quelques-unes de ses pièces atteindre les sommets de palmarès. Il avait aussi déjà occupé le rôle de producteur et de gérant de tournée pour des artistes dont il avait estimé le talent. Les professionnels dont il avait su s'entourer avaient grandement contribué à la prospérité de son entreprise et il avait cumulé les réussites pendant une bonne partie des années soixante-dix. Il m'avait déjà, maintes fois, raconté tout cela.

Maintenant, toutes ces choses appartenaient au passé.

Il se mit à jouer des airs connus — autres que ceux qu'il avait écrits lui-même — en me demandant si, dans mon coin du monde, on les connaissait aussi. Mon sourire se dissipa toutefois légèrement lorsque, le regard espiègle, il se mit à fredonner: *C'est une poupée qui fait non, non, non, non / Toute la journée elle fait non, non, non, non / Elle est, elle est tell'ment jolie / Que j'en rêve la nuit [...] Personne ne lui a jamais appris / Qu'on pouvait dire oui / Sans même écouter elle fait non, non, non, non / Sans me regarder elle fait non, non, non, non / Pourtant je donnerais ma vie / Pour qu'elle dise oui...*

Je pinçai les lèvres.

J'aurais préféré qu'il cesse de chanter, mais il persista jusqu'à la fin du texte pour prétendre enfin ne plus avoir le goût de jouer et ranger la guitare là où il l'avait prise.

Cette nuit-là, il vint me rejoindre dans le lit.

Le divan devenait inconfortable, m'expliqua-t-il, en me demandant toutefois la permission de venir me retrouver.

Comment aurais-je pu refuser, moi qui me sentais si fautive? D'abord, il était le légitime locataire des lieux, et je n'allais tout de même pas lui signifier que, dans ces conditions, j'allais décamper pour aller m'installer moi-même sur le canapé! Je ne voulais pas le froisser et je consentis à sa présence, non sans malaise, à quelques centimètres de ma peau. J'eus toutefois de la difficulté à trouver le sommeil. Si près de moi, il troublait ma quiétude.

Il me fallut au moins une bonne heure avant de céder à l'assoupissement. Il me sembla, pour sa part, plutôt agité.

Au milieu de mes vapes nocturnes, j'eus conscience qu'il se leva et fit quelques tours dans la pièce en se raclant la gorge. Il toussa à quelques reprises, força sa respiration sibilante pendant un long moment, prolongea un soupir insistant et subit encore quelques violentes quintes de toux.

Il déambula dans la pièce.

Désœuvré, il se laissa tomber lourdement sur le divan et passa sa large main sur son visage et dans ses cheveux ébouriffés.

Je me rappelais l'avoir entendu tousser à plusieurs reprises, depuis mon arrivée, mais pas autant que cette nuit-là. Dans la pénombre, je distinguais ses deux mains qu'il garda longuement devant son visage.

Il enleva la chemise de son pyjama, fuma à moitié une cigarette avec nervosité, et se coucha de nouveau, torse nu.

Il tourna plusieurs fois sur lui-même, incapable de trouver une position pour dormir. Je sentais son angoisse envahir la pièce. Sa respiration difficile passait par différentes modulations.

Je chuchotai quelques mots pour m'enquérir de son état, mais il me somma de me rendormir aussitôt sans me soucier de lui. Je fus offusquée d'être aussi rudement éconduite, mais la somnolence vint rapidement dissoudre mon sentiment. Un peu plus tard, dans la nuit, alors qu'il me croyait sans doute endormie, je sentis toutefois sa main se glisser dans la mienne.

Ses doigts se resserrèrent autour des miens.

Son souffle changea; il me sembla plus calme.

Je fis semblant de dormir.

Sa main, dans la mienne, m'apaisa aussi et je me laissai envahir par le sommeil.

Chapitre 10

Le tintement de la petite cuillère que mon hôte agitait dans la tasse de café matinale me tira des bras de Morphée. Mon réveil fut célébré par le large sourire d'Edy et des airs de tango qu'il sifflotait joyeusement en risquant de temps à autre quelques paroles approximatives, dont il riait par la suite.

L'odeur agréable du café me mena hors du lit et j'allai le rejoindre à table.

Il avait l'air en forme.

Pour la première fois, il tira lui-même les rideaux et fit entrer la chaleur du soleil. Il cessa sa prestation, le temps de savourer quelques chaudes gorgées.

Il devint peu à peu songeur.

En jouant à rouler les grains de sucre sur la nappe, il me raconta que, pendant mon sommeil, il avait pris ma main et que mes doigts, sans opposer de résistance, s'étaient même pressés sur les siens.

Je sourcillai un peu, histoire de faire comme si je n'en avais pas vraiment eu conscience ou un si vague souvenir...

Un petit sourire se dessina sur ses lèvres.

Il m'entraîna dans l'univers de son enfance. Il me parla de la main rassurante de sa mère dans la sienne, toute petite alors; de la chaude et large main enveloppante de son père qui se faisait trop rare; de celle, toute délicate, de sa petite sœur qu'il aimait protéger; de la patte velue du louveteau qu'il avait dressé, comme un chien, à la donner sur demande et de l'inoubliable douceur de la première main féminine qui le caressa un jour et provoqua ses premiers frissons.

Il m'expliqua combien ces simples gestes étaient pour lui précieux et combien ils avaient le pouvoir d'apaiser un homme qui, comme lui, contre toute apparence, avait conservé une fragilité d'enfant. Il disait que la race humaine mésestimait ces petites douceurs; qu'elle ne prenait plus le temps de savourer ces menus plaisirs. Les gens étaient trop sollicités par les aléas de la civilisation et semblaient négliger le pouvoir miraculeux de la tendresse. Elle pouvait guérir tous les maux, si on la laissait s'épanouir, mais on la condensait souvent en une trop brève caresse.

Je l'écoutai, attentive, en sirotant mon café.

Je ne me surpris pas de son ingénuité et de cette sensibilité exacerbée que j'avais découverte jadis dans ses longues lettres. Elle m'avait toujours émue.

J'admirais l'enfant en lui.

Touchée par les blessures qui le meurtrissaient, j'aurais voulu, à ce moment précis, lui manifester toute mon affection. Seulement, je savais bien que ses attentes n'étaient pas celles d'un enfant, mais celles d'un homme.

Un mélange d'amertume et d'impuissance me lézarda le cœur.

J'avais l'impression de ne plus pouvoir l'aimer qu'en secret.

Puis, il retrouva tout son sérieux, comme si cette petite douceur que lui avait procurée la nuit s'était déjà évaporée dans les rayons du jour. Comme s'il se fut agi d'un simple mirage dans son désert de tendresse.

Chapitre 11

Je commençais à trouver le temps long en Belgique.

Je me surprenais à soupirer souvent. Tout me semblait d'une platitude infinie. Les paysages brumeux avaient beau me charmer par leur aspect pittoresque, ils me maintenaient dans la monotonie.

J'observais le vieil homme qu'était Edy, ses manières, ses habitudes, son mode de vie; tout m'ennuyait. Je restais de plus en plus souvent au lit le matin. J'avais peine à me lever pour une autre journée aussi insipide que la précédente. Quand nous étions à la maison, en après-midi, il arrivait souvent que je reste au lit et que je dorme encore pour des heures. Pendant mes siestes, Edy vaquait à ses occupations tranquilles et ne faisait pratiquement pas de bruit.

Dans le calme de l'un de ces après-midi, je fus réveillée par le faible cliquètement de son clavier d'ordinateur. Il était installé devant l'écran et semblait être sous l'emprise d'une furieuse inspiration, à en juger par les cliquetis incessants des touches. Dans un bref moment d'hésitation, il se retourna, pour constater que je ne dormais plus et que j'étais en train de l'observer à l'œuvre.

— Tu as bien dormi? demanda-t-il.

Je ne fis qu'un petit signe de tête.

Il continua d'écrire avec autant de spontanéité. Je le regardai faire pendant un long moment.

Je ne posai pas de questions.

J'avais appris, depuis mon arrivée, qu'Edy ne répondait

qu'aux seules interrogations qui ne l'importunaient pas.

Je ne m'interrogeais plus sur quoi que ce soit. Je l'observais, simplement. Et je comptais les jours qui me séparaient de mon retour au Québec.

Je dus me rendormir, car lorsque j'ouvris de nouveau les yeux, Edy était en train de s'habiller pour sortir.

— Rendors-toi, la marmotte, me dit-il, lorsqu'il aperçut mes yeux entrouverts.

Je ne posai toujours pas de question.

— Je m'en vais chercher du lait et des cigarettes au petit magasin à côté, me répondit-il, comme si j'en avais posé une.

Je n'avais plus d'autres attentes, à propos de ce voyage, que ces banalités quotidiennes. Chacun des jours que nous passions ensemble ressemblait plus ou moins au précédent. J'étais bien au lit, toutefois, sous les couvertures chaudes. Décoiffée, en chemise de nuit, je pouvais me prélasser paresseusement sans songer à rien. Je ne voulais d'ailleurs plus penser à quoi que ce soit. Toutes les élucubrations qui avaient précédé mon voyage m'avaient trahie. À quoi bon continuer de réfléchir? Je m'occupais à observer le fil de manche de ma chemise de nuit qui s'effilochait. Je l'embobinais sempiternellement autour de mon doigt. Il n'eut pas fallu le couper ou l'arracher; on m'aurait privée de mon plus grand loisir.

Lorsqu'il revint de ses commissions, il ne tarda pas à allumer une cigarette, puis à se réinstaller devant son écran d'ordinateur. Je l'entendis tousser encore, puis il fit la lecture silencieuse de ce qu'il avait écrit précédemment, avant de faire pivoter sa chaise en ma direction pour m'observer.

— Tu dors beaucoup, remarqua-t-il.

Je marmonnai, en refermant les yeux, que j'étais fatiguée,

sans doute à cause du décalage horaire, plus difficile à assumer qu'il ne pouvait imaginer.

— Le décalage horaire... gloussa-t-il, on ne prend pas tant de jours à s'en remettre!

— Qu'est-ce que t'en sais? dis-je, sur un ton frustré.

— Dormir, c'est fuir! me balança-t-il rudement.

Il avait visé juste. Je savais bien tout ce que recelait cette remarque cinglante.

Je détestais sa lucidité.

— L'écriture est sans doute une autre forme de fuite, lui rétorquai-je, choquée, avant de m'engouffrer la tête sous les couvertures.

Ainsi tapie, je réalisai que mon attitude donnait raison à ses insinuations. Pour le faire mentir, je sortis brusquement du lit, pour chercher dans mes bagages un jeans à enfiler.

Fâchée de ne rien trouver, je parcourus frénétiquement la pièce de gauche à droite en relevant tout sur mon passage, espérant pouvoir trouver enfin une foutue paire de jeans qui me permette de sortir un peu pour prendre l'air.

Ses yeux me scrutaient.

— Dis, Lolita, tu crois que tu es venue ici pour te balader pendant deux semaines en tenue légère sous mes yeux?

Je le fusillai d'un regard plein de rage qui ne sembla décidément pas l'effrayer.

Je continuai, avec encore plus de fureur, à saccager le petit appartement à la recherche du jeans introuvable. J'étais sur le point de hurler de rage et d'impuissance; je le trouvai enfin et commençai à l'enfiler maladroitement.

Il continua de me provoquer en fumant sa cigarette avec langueur.

— Pourquoi t'es venue ici au juste? pour dormir? pour me faire chier?

— Assez! hurlai-je.

Mais il poursuivit son inquisition en y prenant un plaisir presque sadique.

— Je parlais au téléphone avec ma fille ce matin, pendant que tu *dormais*, dit-il en mettant beaucoup d'insistance sur ce dernier mot. Je crois qu'elle a raison, marmonna-t-il avec ironie, en fumant toujours aussi calmement sa cigarette et en laissant s'échapper un grand nuage de fumée avant de jeter sur moi un regard dédaigneux et de poser son savant diagnostic: en fait, tu souffres de bovarysme...

L'insulte me fit bondir.

— Qu'est-ce que tu fais chier! lui balançai-je, les dents et les poings serrés, les yeux pleins d'eau et de hargne.

J'espérais sans doute, au plus profond de moi-même, qu'il n'ait pas raison.

— Tu es venue jusqu'ici pour fuir un mari médiocre et ennuyant, poursuivit-il, dans son insoutenable diatribe, mais, crois-moi, à peine seras-tu retournée au Québec que tu seras de nouveau dans ses bras, parce que... tu n'as pas trouvé ici ce que tu cherchais, n'est-ce pas? Au fait, qu'es-tu venue chercher?

Obstinément sourde à ses invectives, je me dirigeai vers la porte de sortie. Dans ma furie, le bouquet de fleurs flétries régnant au centre de la table m'irrita au plus haut point.

Edy suivit mon regard.

— Aaah! ces fleurs, ironisa-t-il, elles sont comme nous, n'est-ce pas? Il y a déjà quelques jours qu'on assiste à leur tranquille agonie...

J'agrippai le pot de verre au passage et, m'obligeant à faire un petit détour par la cuisine, j'allai l'expédier de toutes mes forces au fond de la poubelle de tôle, laquelle était vide; on aurait dit un coup de tonnerre.

Fière de ma vengeance, je lui offris un petit sourire suffisant avant de m'apprêter à sortir.

Ce fut à son tour de m'agripper au passage pour me projeter de toutes ses forces et me faire rebondir sur le lit.

Ébranlée, je me mis à avoir peur.

Il glissa la main dans la poche de son pantalon pour en ressortir le petit porte-clés que je lui avais offert. Il le brandit, agressif, juste sous mon nez, en postillonnant de rage.

— Tu vois ça? Regarde-le bien, ordonna-t-il. Tu ne tarderas pas à le revoir de près. Il te poursuivra où que tu ailles! Si tu crois que tu retourneras en Amérique indemne... si tu crois que tu pourras m'oublier une fois de retour là-bas; tu te trompes! Je te poursuivrai, je te hanterai, je m'acharnerai! Tu auras beau changer d'adresse... Tu crois que l'Amérique est trop vaste pour que je puisse te repérer? Tu te trompes, assura-t-il. Un jour où tu iras à la poste — des semaines, des mois, voire des années plus tard, s'il le faut — tu découvriras un petit paquet, avec ce porte-clés à l'intérieur. Tu sauras, alors, que je t'aurai repérée, toi, qui auras pensé naïvement être à l'abri du prédateur, sur les terres de ton Amérique.

Il retourna s'asseoir à table en allumant une cigarette avec nervosité. Il se cala dans sa chaise.

Pendant un long moment, il fixa un horizon invisible à mes yeux.

— Ou pire encore, tiens... je te ferai subir le silence le plus total; tu me le diras, alors, si notre histoire était si virtuelle que ça... siffla-t-il entre ses dents.

Sa haine, tout à coup, semblait si grande que je me mis à trembler d'inquiétude. Mon imagination ne tarissait pas d'inventions. Naïve, comme je découvrais l'avoir été précédemment, je pouvais bien l'avoir été davantage que je ne l'avais cru d'abord et j'étais peut-être là, prisonnière du gouffre d'un psychopathe intellectuel attirant ses proies en déployant une habile rhétorique amoureuse pour ensuite se livrer à l'exécution de ses fantasmes morbides de tueur en série, fondamentalement irrité qu'il ait pu l'être par l'insupportable insolence sensuelle des femmes. Au fait, que savais-je vraiment de cet homme, sinon qu'il avait une jolie prose? Il pouvait bien, dans la cruauté et la violence de sa révolte, m'étrangler là, sur le lit, ou bien me découper en petits morceaux et me balancer dans la rivière; personne n'en saurait jamais rien. Il n'avait pas la gueule sympathique; je l'imaginais bien à la une des journaux.

Paradoxalement, je comprenais sa rage. Un homme à qui on a promis — par écrit de surcroît — toutes les voluptés du monde et dont on a excité les ardeurs, en lui faisant entrevoir dans mille scénarios érotiques le paroxysme de toutes les jouissances, est en droit de s'insurger contre l'instigatrice de tous ces désirs explosifs frauduleusement entretenus.

J'étais fautive.

On ne devrait jamais promettre ce genre de choses.

On ne devrait que les offrir promptement, au moment opportun, sans jamais en parler d'abord. Et puis, quand bien même on tiendrait promesse en les réalisant, on joue toujours contre soi en courant le risque de ne pas être à la hauteur des attentes qu'on a suscitées.

Je comprenais fort bien son insurrection, en imaginant que, moi-même, si j'avais eu dans mon lit un homme que je puisse désirer, m'ayant promis dans ses lettres tous les plaisirs possibles, j'aurais été folle de rage contre lui advenant son refus obstiné de tenir parole. La peau brûlante de désir pour ses promesses aphrodisiaques, j'aurais voulu qu'il me fasse jouir à mille et une reprises de son corps, de ses mains, de sa bouche et de son sexe, jusqu'à épuisement total de tous les sens. Possédée par toutes les concupiscences, je l'aurais sans aucun doute traité d'infâme et de cruel s'il avait refusé de me donner accès à tous ces plaisirs promis. On ne laisse pas attendre la chair d'une femme enflammée par le désir.

— Je ne sais pas ce que tu es venue foutre ici, dit-il, en retrouvant son calme.

Il pompait sa cigarette.

Dans ses yeux bleu clair, qui fixaient le vide, je pouvais lire toute l'amertume du monde.

Je n'osais pas bouger du lit.

Je l'observais, en craignant que le moindre de mes gestes ou la moindre parole ne provoque de nouveau ses foudres.

La fumée tourbillonnait au-dessus de sa tête.

Il toussa.

Il toussa beaucoup et cracha dans la poubelle avant de se retourner vers moi pour m'ordonner de prendre le téléphone et de joindre mon transporteur aérien; je devais quitter la Belgique, sur-le-champ, me dit-il, et retourner d'où je venais.

J'aurais peut-être dû saisir cette occasion de me délivrer de ce purgatoire, mais à vrai dire, pendant qu'il parlait ainsi, j'avais peine à réaliser que nous en soyons rendus là. Je ne savais pas si la seule solution qui se présentait à nous était celle de déclarer forfait.

Y avait-il une histoire à poursuivre?

Que se passerait-il *après*?

Comment la vie pourrait-elle reprendre un cours normal? Je m'imaginais mal retourner déjà au Québec, quelques jours à peine après mon départ pour l'Europe, et raconter à ma famille et à mes amis que j'avais été mise à la porte de la Belgique par mon correspondant, qui déjà, ne me supportait plus.

Je poussai un long soupir, mais ne fis pas le moindre mouvement.

Il garda le silence.

N'insista pas.

Pendant un long moment, il ne parla plus et je respectai volontiers ce long moratoire.

Je n'avais plus rien à dire. Lui non plus, sans doute. Que pouvait-on se dire maintenant?

Il se leva et se promena un peu dans la pièce. Il alla flâner devant la fenêtre ouverte. Le soleil, cet insolent, se montrait le bout du nez au mauvais moment; il tira les rideaux pour retrouver enfin la pénombre habituelle de sa tanière.

Il alluma une autre cigarette avant de se diriger de nouveau vers la table de cuisine où traînait une carte postale que je lui avais envoyée quelques jours avant mon arrivée en Belgique.

Il la prit dans ses mains pour la lire et la honte me fit fermer les yeux à cet instant.

La carte postale portait une citation d'Alfred de Musset: «Qu'importe le flacon, pourvu qu'on ait l'ivresse.»

Je voulus mourir d'avoir eu l'idée stupide de faire précéder notre rencontre de cette carte.

La lecture le fit s'esclaffer.

— Eh bien ça... commenta-t-il, ça reste encore à prouver... hein?

J'en voulais à Musset d'avoir écrit une telle sottise.

Je crois bien qu'Edy devait avoir le même sentiment, puisque je l'entendis marmonner qu'il devait n'être qu'un de ces cons de poètes qui écrivent des choses simplement parce que «ça fait beau», mais dont le bon sens reste à prouver.

Je me contentai de garder le silence en baissant les yeux. Tout m'incriminait.

J'étais la Belle incapable d'aimer la Bête.

J'avais honte de me découvrir si superficielle en amour, moi qui m'étais toujours crue, sottement, si spirituelle...

Et si j'aimais la Bête, malgré tout, de toutes mes forces, au-delà des contraintes du corps, seulement pour la beauté invisible de son esprit, connaîtrais-je la joie immense de la voir se transformer en un admirable prince pour me récompenser de la pureté de mes sentiments? C'est pourtant convenu; au moment de consommer l'amour, les hideux prétendants doivent forcément se transformer en un être désirable! Les crapauds et les bêtes hirsutes se métamorphosent inéluctablement en prince au moment du baiser. Même Psyché, dans l'obscurité, ne s'est jamais donnée qu'au dieu Éros lui-même! Et Rostand n'épargne-t-il pas à Roxane d'avoir à s'abandonner dans les bras de son disgracieux troubadour, en faisant judicieusement périr celui-ci au moment des aveux?

Les princesses sont toujours jolies, me disais-je, et font resplendir même les haillons de leur beauté éblouissante. On les aime pour leurs attraits, d'abord, ensuite pour leur candeur et leur bonté légendaire. Il est évident que les princes n'ont pas à se faire prier pour les désirer. Pourquoi exige-t-on d'elles, en contrepartie, qu'elles embrassent sans répugnance un crapaud ou une énorme bête velue, si laide soit-elle? On leur enseigne à ne pas désirer, mais à aimer l'esprit, seulement, sincèrement et chastement, sans aucune convoitise, en comptant sur la puissance presque divine de leur seul amour pour transformer la pauvre bête en un merveilleux souverain qui, celui-là, fera enfin battre un peu les tempes de la demoiselle.

L'amour ne change pas un homme...

Les contes de fées sont des leurres abjects où les cœurs des petites filles s'égarent.

Le silence perdurait.

Edy ne disait pas un mot. Il fumait toujours.

La confusion me gagnait.

L'amour est-il affaire de désir ou de sentiment? Et si ces deux aspects devaient se compléter dans une mystérieuse dialectique, lequel devait alors précéder l'autre? Tous ces discours sécurisants sur «les yeux du cœur» et la beauté aveuglante de l'esprit se révélaient des théories bidon.

Je remarquai qu'Edy m'observait.

Il avait l'air triste.

Ses yeux étaient rougis.

Il s'avança tranquillement vers moi et s'agenouilla près du lit.

Sa large main vint caresser mon visage, puis il me déclara, avec quelque hésitation:

— Je... je t'aime, tu sais... je... je ne te ferai jamais... jamais aucun mal. Jamais. Aucun mal. Rassure-toi.

Dans ses yeux mouillés de chagrin, j'aperçus la flamme de son désir qui n'était pas encore éteinte.

Ses mains froides et moites, tremblotantes, glissèrent jusque dans mes cheveux.

Il les caressa, les lèvres frémissantes.

Loin de me rassurer, il m'effraya davantage.

Je ne savais plus si c'était moi qui le rendais fou ou s'il l'était déjà par lui-même.

Cet après-midi-là, nous allâmes flâner au Woluwe Shopping Center.

La foule nous distrayait et nous fournissait des arguments sporadiques, propices à alimenter les discussions futiles.

Pendant que je m'intéressai brièvement aux dentelles de la boutique Hunkemöller, il continua de marcher d'un pas lent devant le magasin, les mains dans les poches et le regard éparpillé.

Il avait l'air préoccupé. Inquiet.

Ni les commerces ni les gens ne semblaient l'intéresser. Tous avaient l'air de banals figurants au milieu de son angoisse envahissante.

Il semblait perdu, troublé, par quelque chose qui manifestement m'échappait.

Nous arpentâmes les allées du centre commercial et, pendant longtemps, je ne rompis pas le silence de cette longue pérégrination. Je me contentai de le suivre, à quelques pas derrière lui. Il m'oublia même pendant un bon moment.

J'en profitai pour songer à la nuit pénible qu'il avait passée, l'autre jour. Je ne savais trop que penser de toute cette frayeur qui me laissait perplexe et de ses liens avec la maladie. Ne devait-il pas être guéri? Je n'en savais plus rien. Je doutais soudainement de la compétence de ses médecins, puis de la parole d'Edy elle-même.

Il déambulait toujours. Sans rien dire. Perdu au centre de lui-même. Son regard flottant et sa morosité me serraient le cœur. Son âme m'apparaissait infiniment fragile et insaisissable. Elle se serait peut-être effritée sous mes doigts si j'eus seulement tenté de l'effleurer en cet instant précis.

Prise d'empathie pour sa tristesse, je me rapprochai de

lui, jusqu'à frôler les manches de son manteau, puis je glissai doucement ma main dans la sienne en pressant mes doigts contre les siens.

Il m'offrit un sourire éblouissant.

Un sentiment inconnu, intense, mais doux-amer, me draina le cœur. Maintenant complices, nous poursuivîmes notre balade, main dans la main. La discussion devint plus facile et le reste de l'après-midi passa d'ailleurs très rapidement.

~∞~

Lors de notre flânerie, je m'étonnai de voir autant de gens sortir leurs chiens sur la place publique. Ces bêtes étaient, semble-t-il, les bienvenues dans les halls de centres commerciaux autant qu'à l'intérieur même des boutiques et des épiceries. Je racontai à Edy que c'était une chose impensable dans ma province, où les animaux ne sont pas permis dans les lieux publics et ce fut à son tour de s'étonner de ce que celui qu'on appelle «le meilleur ami de l'homme» n'ait pas droit à plus de considération en Amérique. Il s'insurgea en vociférant allègrement contre les mille et un torts de la civilisation moderne qui tendait, selon lui, à ne plus laisser aucune place à la nature, allant même, pour ainsi dire, jusqu'à l'ostraciser tout à fait du territoire qu'elle a conquis. Il en parla longuement. La séduisante Amérique le décevait tout à coup en ramenant à sa mémoire quelques faits historiques. Il pesta contre les colons du Nouveau Monde qui spolièrent les Indiens de leur identité profonde, jura contre l'hypocrisie humaine et se révolta contre l'infâme soif de pouvoir et de conquête qui avilit le cœur des hommes.

— La nature ne peut être domptée; elle finira bien par se venger d'eux, marmonna-t-il avec ressentiment.

Il en vint à parler avec dépit de son louveteau, qu'il avait dû protéger du regard de ceux qu'on disait être ses semblables mais en qui, pourtant, il ne se reconnaissait pas.

Là où, dans sa jeunesse, il avait gambadé avec lui, il arrivait que dans un coin reculé de la forêt — lorsque les orages se faisaient si bruyants que nul n'aurait pu les entendre — ils hurlent en chœur à la lune. Ces moments de pure osmose avec lui étaient marqués au fer rouge en son âme.

Il avait souffert au milieu de cette ignoble guerre qui avait ravagé le monde pendant son enfance. Ces hurlements lugubres avaient exprimé la profondeur de son désespoir, alors que l'écho de son fidèle ami sauvage lui avait réchauffé le cœur en lui offrant une certaine consolation.

Les légendes moyenâgeuses avaient attribué au loup une réputation si abjecte qu'il en était révolté. On avait fait de lui un bouc émissaire. On l'avait décrit, pendant des siècles, comme une redoutable bête féroce, impitoyable et ravageuse. On l'accusait de dévorer femmes et enfants sans être jamais repu. On lui inventait des complicités démoniaques et on lui présupposait le pouvoir de se transmuter en un effroyable loup-garou hirsute, aux yeux turgescents, exhibant des crocs démesurés et sanguinolents. Combien de fois l'avait-on immolé sur le même bûcher que les prétendues sorcières? N'était-ce pas révoltant de constater qu'on l'avait depuis toujours considéré avec autant d'impéritie et de superstition que ces pauvres femmes sans défense? On confiait immanquablement au loup les rôles les plus ignominieux dans tous les contes de fées. On perpétuait la psychose collective, d'une génération à l'autre. En fait, combien de crimes odieux ne lui avait-on pas attribués, à ce misérable animal? Et combien de temps perdureraient encore les relents de toutes ces croyances ignares? Le loup ne correspondait en rien à ce monstrueux portrait. Edy garantissait qu'il n'était autre chose qu'une variété canine aussi inoffensive que son cousin domestiqué et qu'il aurait dû être en droit de revendiquer lui aussi, à juste titre, la distinction de «meilleur ami de l'homme».

Mais peut-être que, à bien y penser, l'homme ne méritait pas un tel privilège...

Un long silence pesa.

Je procédai à un rapide examen de conscience. Son plaidoyer fut si convaincant que je me sentis mise au banc des accusés, comme tous les autres humains ignorants, comme toutes ces petites filles dociles qui avaient compati un jour au drame du Petit Chaperon rouge.

Je ressentis un léger trouble.

Pendant qu'il était encore perdu dans ses souvenirs, je cherchai à créer une subtile diversion. Je poussai un bref soupir et prétextai soudain — bien maladroitement — avoir, à propos, une «faim de loup». Il me regarda, impassible, augmentant mon malaise.

Puis, au bout d'un moment, il s'écria:

— Allez, Loulou! Allons-y! Allons dévorer quelque chose!

Son rire tonitruant me fit du bien.

Il m'avait de nouveau appelée Loulou. C'est le surnom affectueux qu'il me donnait depuis qu'il disait avoir découvert sa louve de l'autre côté de l'océan. Je savais, tant qu'il m'appellerait Loulou, que j'aurais ma place dans sa tanière.

Chapitre 12

Cette nuit-là, il vint de nouveau dormir près de moi.

Après quelques instants de malaise, il me souhaita une bonne nuit, éteignit la lampe et me tourna le dos.

Je me sentis le cœur gros.

J'avais pour lui des sentiments dont je ne reconnaissais plus la véritable nature et j'étais assaillie par autant de doutes que de convictions.

Il était silencieux.

Je n'osais rien dire.

Je devinais sa souffrance.

Je ne savais s'il avait conscience de la mienne.

Je m'approchai de lui. J'allai blottir doucement mon corps contre le sien.

Je cherchais sans doute à nous offrir une consolation mutuelle.

Je me contentai de suivre mes instincts sans me poser d'autres questions qui n'auraient su, de toute manière, que m'embrouiller davantage le cœur et l'esprit.

Je sentis les bienfaits de mon étreinte lorsque sa respiration devint plus sereine et que son corps chercha à se mouler au mien. Puis, un peu hésitant, il se retourna sur le dos et porta les mains sur son visage en expirant longuement avant de laisser retomber ses bras le long de son corps.

— Pourquoi tu fais ça? me demanda-t-il avec une sorte d'agacement dans la voix.

Je ne savais que répondre.

Il se contenta, pour toute réaction à mon silence, de soupirer plus fort encore.

Je crus tout à coup avoir mal agi et je regrettai mon geste.

Je me terrai dans un plus grand silence.

J'étais blessée; je voulais lui témoigner mes sentiments les plus sincères, mais voilà qu'il me le reprochait.

— J'veux pas ta pitié... rien à foutre! me dit-il d'un ton sec, en faisant suivre un léger grommellement.

Il se dégagea un peu et éloigna son corps de quelques centimètres du mien.

— Pourquoi tu viens dormir dans le lit avec moi? chuchotai-je.

Il bredouilla que le divan n'était pas confortable.

Je poussai un bref soupir de moquerie.

— Ben quoi? Qu'est-ce que tu crois? ajouta-t-il en croisant les bras sur son torse.

J'esquissai un léger sourire imperceptible dans la pénombre.

Il me paraissait fragile, attendrissant. Mes sentiments pour lui refaisaient tout à coup surface et me gonflaient le cœur. J'avais envie d'aller éperdument vers lui, comme la vague insensée qui se jette sur le rocher immuable.

Il avait l'air d'un enfant qui boude.

J'osai un mouvement.

J'allai me blottir de nouveau contre lui et je déposai ma tête sur son épaule.

Sans dire un mot, il se retourna vers moi, glissa sa main dans mes cheveux, puis déposa un chaste baiser sur mon front.

Il soupira profondément.

Il caressa mon épaule.

Ses mains étaient chaudes.

Je les sentis trembler de désir et j'en fus émue.

Dans l'obscurité de la pièce et dans la chaleur des draps de son lit, je crus sans doute que cet homme — dont la chair était marquée par les inexorables affaissements de l'âge — et moi-même — si jeune encore, mais portant tout de même les stigmates de quelques enfantements — aurions tôt fait de nous effacer de la matérialité pour ne laisser place qu'à deux seules âmes enfin réunies.

Nous n'étions pas parfaits, l'un et l'autre, mais cela pouvait-il empêcher l'amour d'être au rendez-vous?

L'espace d'un instant, égarée dans mes pensées confuses, comme au milieu du néant, je me demandai qui nous étions vraiment. Étions-nous deux corps ou deux âmes, ainsi blottis l'un contre l'autre à se prodiguer des caresses?

Je posai ma main par-dessus la sienne et la guidai vers ma poitrine, l'encourageant à se glisser sous ma chemise de nuit où mon sein se dressait déjà. Je sentis son pouls prendre du rythme et ses doigts commencèrent à caresser ma peau. Il s'amusa à effleurer mes courbes et à orchestrer les frissons qu'il me procurait.

Je fermai les paupières afin de céder au charme de la pénombre et je sentis fuir une larme sur ma joue. Il la repéra et approcha ses lèvres pour la boire. Il resserra son étreinte et déposa nombre de baisers dans ma chevelure.

Il me semblait n'avoir jamais éprouvé une telle tendresse.

Tout ce que je croyais savoir au sujet de l'amour se confondait en d'infinies contradictions.

Je tentai de percevoir son regard dans l'obscurité, mais je ne distinguai que les contours de son visage.

Je déposai délicatement la paume de ma main sur sa joue et j'approchai mes lèvres des siennes, hésitantes, qui ne semblaient attendre que mon propre consentement.

Nos souffles restèrent ainsi suspendus pendant quelques

secondes. Nos lèvres s'effleurèrent avant de se goûter enfin.

Quel brutal retour à la réalité!

L'enchantement fut dramatiquement rompu.

Son baiser, tendu, sans aucune volupté ni souplesse, me donna l'impression d'embrasser mon grand-père.

J'eus le réflexe d'ouvrir grand les yeux et de reprendre tous mes esprits.

Une authentique douche froide.

Je venais, en une fraction de seconde, de récupérer toutes mes convictions d'avant sur la chose amoureuse. J'interrompis sitôt l'enlacement et me mis à bredouiller, mal à l'aise, que je ne savais si...

Je décidai de me taire avant de proférer une bêtise.

L'atmosphère devint lourde et mon pouls s'accéléra effroyablement.

— Eh bien, dit-il, frustré, tu fais vachement bien dans la provocation, toi!

Il se retourna sur lui-même, m'offrant son dos pour tout interlocuteur.

Je me détestai.

— Je me rends compte combien je suis naïf... ajouta-t-il, terriblement vexé. En fait, tu n'es pas du tout différente des autres. Toutes les femmes sont bien aussi manipulatrices les unes que les autres! conclut-il en haussant le ton.

Elle était loin, sa Loulou...

J'incarnais l'imposture.

— Le divan est libre, me fit-il remarquer.

J'inspirai vigoureusement avant de tenter de lui expliquer que ce n'était pas ce qu'il s'imaginait, que j'avais toujours été avec lui très sincère, que je l'estimais infiniment et que je n'avais jamais eu l'intention, à quelque moment que ce soit, de le manipuler ni même...

— Assez! m'interrompit-il. J'en ai marre, moi, de toutes ces conneries de bonnes femmes... toujours la même histoire.

Interloquée, je me résignai au silence avec frustration. Je saisis un oreiller et j'arrachai farouchement la couette du lit pour me rendre avec elle sur le divan.

Je le sentis, avec satisfaction, devenir ivre de rage.

Il se releva à moitié et m'apostropha d'un ton rêche:

— Non mais ça va pas, là? Qu'est-ce que t'as dans la tête? J'te rappelle qu'ici, c'est chez moi, hein... et qu'j'suis pas même forcé de t'offrir l'hospitalité, O.K., là? Alors, tes attitudes de gamine effrontée, tu ferais mieux de les réprimer!

La haine et l'amour se confondaient dans mon esprit alambiqué.

— C'est ça, répondis-je avec insolence, fâchée de son âpreté à mon égard. Je vais aller camper dans le corridor de l'immeuble!

— Ben c'est ça, bafouilla-t-il, fais-moi passer pour un con auprès des voisins. Tu t'en fous, toi, tu r'pars ensuite...

Son ton de voix changea. J'eus l'impression qu'il réprimait un sanglot tant sa phrase s'acheva bizarrement.

Je restai debout dans la nuit, la bouche entrouverte, à ne pas savoir quoi ajouter. Je me tordis les lèvres et je tournai sept fois la langue dans ma bouche pour choisir, en définitive, l'or du silence.

Je m'installai sur le divan.

Voilà que, forcément, je devais finir par m'y retrouver...

Tout était si complexe et si simple à la fois. Comme j'aurais aimé que cette affaire ne soit qu'une grande blague et que nous puissions rigoler allègrement, tous les deux, à prendre conscience de nos naïvetés mutuelles. Mais ce qui se jouait, en cet instant, tenait du drame plutôt que de la comédie.

J'imaginais l'humiliation au cœur de son amertume.

Je me replongeai, avec regret, dans les eaux troubles de nos correspondances érotiques. Quelles scènes débridées! Nos nuits hypothétiques recelaient des trésors de sensualité. Jamais nos abus luxurieux ne venaient à bout d'épuiser notre prose imaginative. Nous faisions l'amour partout où les lieux nous en inspiraient une envie irrépressible. Là, sur le fauteuil du salon, où nos étreintes s'enflammaient, il soufflait chaudement dans mon cou, me révélant ses appétits voraces. Il dérobait ma chemise et enveloppait mes seins de ses larges mains. Avec ses lèvres gourmandes, il descendait sur mon ventre, puis jusqu'aux enfers, là où se trouvait mon paradis de jouissance. Il s'abreuvait avidement à ma source, comme un homme du désert découvrant une oasis, tandis que je haletais de plaisir et que le peu qu'il me restait de conscience s'engloutissait irrémédiablement dans la merveilleuse poésie des sens. Plus tard, toujours aussi insatiable, je m'effeuillais pour lui, en me laissant dévorer par sa bouche. Je relevais audacieusement ma jupe pour lui dévoiler mon sexe gorgé de désir. Je lui tournais le dos, il me prenait par derrière, comme le font les loups avec les louves. Je m'agrippais au dossier du fauteuil, tandis qu'il m'inondait de plaisir avec des grognements qui me comblaient autant que chacune de ses voluptueuses caresses.

Tout ça n'était que fiction.

Je sentis mon corps s'attiser à l'évocation de ces brûlants souvenirs virtuels.

Plusieurs minutes s'étaient écoulées depuis que je m'étais réfugiée dans mes fantaisies déchaînées.

Au milieu des abîmes nocturnes, j'avais cru entendre quelque chose ressemblant à un ronflement. Avec crainte de faire le moindre bruit et d'alerter sa vigilance, je ne pus résister aux puissantes pulsions qui me gouvernaient et je glissai imperceptiblement ma main sous la couverture afin de me prodiguer avec volupté les délicates attentions que mon corps réclamait diligemment à la suite de tels délires préliminaires.

Tout semblait se détraquer dans mon esprit confus.

Je compris néanmoins avec une clarté étonnante — quoique de manière fort grossière — dans mes considérations de femelle en rut, qu'il était inconcevable pour moi d'aimer un homme aussi passivement et chastement qu'une princesse issue d'un quelconque conte de fées, et que si, avec ce même homme, je ne pouvais me permettre d'être femme dans toutes les dimensions que cela suppose, jamais, ô grand jamais, je ne parviendrais à aimer tout à fait.

Chapitre 13

— Je dois aller chez l'toubib. Visite de routine, affirma-t-il.

Le son de sa voix me réveilla.

Je me frottai les yeux et jetai un coup d'œil à l'horloge. Il était huit heures du matin.

— Je vais aller faire réchauffer un peu la voiture… ça chassera l'humidité du moteur, précisa-t-il.

Je fis un léger hochement de tête en me redressant. Quelques courbatures ralentirent mes mouvements. Il avait définitivement raison: le divan n'était pas très confortable.

Il me jeta un regard avant de disparaître derrière la porte.

Je me frottai encore les yeux et me retournai sur le ventre en laissant pendre ma main par terre, tout en fixant le vide hypnotique devant moi.

Le bout de mes doigts frôla quelque chose qui ressemblait à un carton. Je tirai sur le coin de l'objet qui dépassait de sous le divan. C'était une grande photo, en noir et blanc, sur laquelle apparaissait une femme blonde, plutôt jolie, vraisemblablement au début de la quarantaine, appuyée sur un gros tronc d'arbre se dressant au milieu d'un décor bucolique. J'eus le réflexe de retourner la photo en espérant pouvoir lire derrière elle une notice qui me renseignerait sur l'identité de cette mystérieuse personne. On ne pouvait y lire que *1985*, sans doute l'année où la photo avait été prise. Aucun autre indice.

Il revint, trempé jusqu'aux os, le manteau et le nez dégoulinants.

— Un temps de chien, commenta-t-il. C'est pas bon pour moi, toute cette humidité...

Sa respiration était sifflante.

Il toussa beaucoup.

Vraiment beaucoup.

Quel sale rhume il avait attrapé, me disais-je. Ce temps maussade n'était évidemment pas pour l'aider.

Il remarqua la photo que je tenais dans les mains. Il sembla brièvement incommodé puis, l'air indifférent, m'annonça que je ne devais pas me surprendre, puisque le dessous du divan recelait nombre de photos du genre, qu'il avait prises à l'époque où il pratiquait la photographie.

Je me contentai de hausser les sourcils.

— Ben qu'est-ce que tu fais? s'impatienta-t-il. Tu te lèves ou quoi?

Je ne savais pas, jusque-là, que je devais l'accompagner chez le médecin, mais je compris que ce devait être le cas. Je me levai, sans rechigner, et j'enfilai aussitôt un jeans et un chandail chaud.

Je n'osai pas lui demander s'il craignait de me laisser sans surveillance dans ses affaires, pendant son absence, ou s'il appréhendait simplement de se rendre seul à l'hôpital. Quoi qu'il en soit, il avait l'air très inquiet de sa santé.

Je me demandai s'il ne doutait pas lui-même de sa prétendue guérison.

J'appris, pendant le trajet en voiture, que la veille de mon arrivée, son médecin — préoccupé par sa situation respiratoire suspecte — avait demandé de lui faire subir une bronchoscopie. Il avait refusé, alléguant mon arrivée imminente.

Il avait fait reporter l'examen à la semaine suivant mon retour au Québec, ne voulant pas m'imposer, pendant mon séjour, des visites médicales trop laborieuses.

Nous empruntâmes ce qui me sembla être un raccourci de campagne pour nous rendre à Bruxelles. La pluie martelait le sol. Elle m'avait pincé la peau, au sortir de l'immeuble, le temps de me rendre à la voiture. Le va-et-vient empressé des essuie-glaces ne venait pas à bout de cette trombe d'eau qui s'abattait sur nous. Les fossés débordaient comme des rivières au printemps. Les champs étaient boueux, détrempés. Pas un seul quadrupède dans les pâturages. Ils devaient tous se terrer à l'abri, quelque part au chaud, et au sec.

Le ciel devait pleurer quelque chose.

— Il pleut comme vache qui pisse, grognassa Edy, les mains crispées sur le volant, le nez presque écrasé sur le pare-brise embué pour tenter de distinguer quelque chose ressemblant un tant soit peu au centre de la route.

Une mélancolie accablante envahissait le petit habitacle de la voiture.

Nous nous étions querellés la veille, et pourtant, nous feignions de l'avoir déjà oublié. La pluie torrentielle, peut-être, avait balayé le malentendu. Je n'en savais trop rien. J'ignorais tant de choses.

Je ne dis mot de tout le voyage. Il avait besoin de toute sa concentration pour tenir la route, et moi, le fil de mes idées.

La pluie diluait tout.

Je tentais de comprendre ce qui m'arrivait et je n'y parvenais pas. Je me demandais ce que je faisais encore là, dans ce triste pays, sur ces vieilles routes qui ne mènent nulle part, parsemées de ronds-points étourdissants qui me ramenaient sans cesse à la case départ.

Nous arrivâmes enfin aux Cliniques Saint-Luc. Aussitôt

la voiture garée, nous nous précipitâmes vers la porte d'entrée la plus proche, les mains sur la tête, comme si cela avait pu nous préserver de quelques gouttes de trop. Nous n'en fûmes pas moins détrempés en entrant dans l'établissement et nous laissâmes quelques traces fluides de notre passage devant le comptoir de l'accueil et dans l'allée qui conduisait à la division d'hématologie.

Les murs blafards, l'odeur fade et le personnel clinique en uniforme n'avaient rien de très chaleureux. L'éclairage fluorescent m'éblouissait. Edy marchait d'un pas leste devant moi, sans m'attendre. Distraite, je m'égarais dans ce labyrinthe de couloirs inconnus. J'accélérai la cadence pour ne pas le perdre de vue. Le personnel infirmier le saluait au passage; manifestement, il était comme chez lui dans cet hôpital qu'il fréquentait depuis une décennie.

Au département, les patients occupaient tous les sièges situés dans les corridors. Nous dûmes attendre debout. Nous soupirâmes, chacun notre tour, encore une fois victimes de la désespérante banalité quotidienne.

Edy observa le plafond avec un intérêt presque scientifique.

Je scrutai, en toute subtilité, les personnages de la salle d'attente en essayant de deviner leurs histoires respectives.

L'un m'intéressait en raison de sa physionomie particulière, portant les creuses empreintes du temps, l'autre parce que son silence criant recelait les angoisses de son pénible atermoiement. Je leur inventais des intrigues romanesques. Je définissais leurs caractères et peaufinais leurs scénarios tragiques jusqu'à ce que mon œil croise celui d'Edy qui semblait s'occuper de la même manière sur ma propre personne.

Je fus prise d'un petit malaise lorsqu'il me lança, à brûle-pourpoint:

— Je t'ai parlé du roman que j'ai commencé à écrire?

— Euh... non, hésitai-je.

Je me mis à m'inquiéter de ce qu'il m'en ait parlé sans que je l'eusse écouté vraiment...

— Tu dormais, l'autre jour, lorsque j'en ai commencé le premier chapitre, m'apprit-il.

— Ah bon, commentai-je sommairement, rassurée qu'il me fournisse ainsi de lui-même une excuse de n'être pas vraiment au courant.

— C'est de la science-fiction, précisa-t-il.

Je me confortai doublement de n'être pas — selon toute vraisemblance — à la source de son inspiration.

Il me regarda sans rien dire.

Je me sentis obligée de paraître davantage intéressée. Alors, je posai une question d'intérêt vague du genre «De quoi ça parle?»

— Ça se passe dans un monde futuriste, raconta-t-il, en trois mille quelque, sur la planète Terre, où un effroyable déluge, faisant ravage pendant plus d'une centaine d'années, a exterminé l'infâme espèce humaine qui courait à sa perte.

Je hochai la tête en signe d'assentiment. Cette fabulation n'était pas pour me surprendre, venant de sa part.

— Je ne sais quelle puissance démiurge, cosmogonique et à la fois dévastatrice, renchérit-il avec plus d'ardeur, a décidé de capituler et de mettre fin à cette abomination de la création — une singulière erreur génésiaque — et de faire place à un nouveau monde, celui-là enfin fidèle aux préceptes fondamentaux de la nature.

— Hum... je vois, assurai-je.

Je me disais, en mon for intérieur, que sa folie mystique n'était pas si loin de celle de mon ex-mari qui attendait, quant à lui, en parfait catholique, l'avènement salvateur

divin, la conclusion apocalyptique de la pathologique sottise humaine. Comme quoi, qu'on soit croyant ou non ne
change apparemment pas grand-chose... Bien qu'ils me
soient toujours apparus aux antipodes l'un de l'autre, quant
à leurs conceptions respectives de la spiritualité, ils se
rejoignaient malgré tout sur une même longueur d'onde. À
bien y penser, ils devaient fatalement s'apparenter; aussi
inéluctablement que le pôle Nord et le pôle Sud.

— C'est un peu comme dans *La planète des singes*, tu
vois? continua-t-il, ignorant tout des désenchantements qui
opéraient dans mon esprit. Sauf que, dans ce cas-ci, ajouta-
t-il encore, ce sont des loups qui ont survécu à la race
humaine. Ils ont repeuplé la terre et y ont instauré une nouvelle culture en communion parfaite avec la nature. Une
sorte de paradis sur terre, quoi. Et là... il y a une fille...
sortie de nulle part. Une survivante. Miraculée de l'espace,
sans doute. Ayant échappé au temps et atterri sur la planète
après coup.

Curieusement, je me sentis concernée par ce fameux per-
sonnage...

— Le chef de la meute, poursuivit-il, un grand loup gris
appelé Gourou, découvre cette fille qui lui semble — on ne
sait trop pourquoi — avoir quelque chose de différent des
humains ayant jadis peuplé la terre. Les autres loups réclam-
ment quant à eux qu'elle soit dévorée, convaincus qu'elle
incarne la malédiction et qu'elle risque de corrompre la
sérénité du peuple. Mais le chef s'y oppose, ayant l'intuition
qu'elle mérite d'être protégée, malgré sa nature humaine, et
il tente, contre la volonté de son peuple, de l'intégrer au sein
de la horde et de l'initier au monde de l'instinct.

Il cessa là de décrire son tableau synoptique et me regarda, muet, avec un léger sourcillement, sollicitant une

réaction de ma part à propos de son récit eschatologique.

— Monsieur Ruben Vanderkeelen dans la salle sept, annonça une voix criarde.

Je remerciai le ciel de m'épargner ainsi tout commentaire.

Je laissai Edy se rendre seul à la salle désignée et j'allai m'asseoir dans le passage, où un siège s'était libéré.

Je songeai à l'allégorie qui venait de m'être racontée, osant à peine imaginer la suite.

Nous allâmes dîner au Shievelavabo, un petit restaurant sur la rue Egide Van Ophem, tout près de la gare Uccle-Calevoet. En entrant, il y avait, appuyé à un demi-mur, un petit lavabo de porcelaine blanc, tout de travers, débordant de pièces de monnaie que les clients y mettaient en faisant, paraît-il, un vœu.

Edy y déposa un franc.

Comme nous attendions que l'on nous place, j'appris que *shievelavabo* était un mot flamand qui signifiait, à juste titre, *lavabo de travers*. Edy poussa un bref soupir ironique avant de me faire remarquer que ce lavabo se portait, somme toute, un peu comme notre relation.

Je fis semblant de ne pas comprendre l'insinuation.

Il se contenta de m'offrir un regard blasé — me faisant sentir plus stupide que jamais — puis, il haussa les sourcils avant de pester contre le service qui n'était pas assez rapide.

Une serveuse vint enfin nous assigner une place. Elle nous guida au centre de l'endroit où une banquette était libre. La salle à manger était bondée de clients. Les discussions, qui fusaient de toutes parts, s'entrecroisaient, sans que je n'y distingue rien de compréhensible, créant une sorte de bourdonnement dans mes oreilles. Les nombreux tintements

d'ustensiles et les bruits de vaisselle, que faisait s'entrecho-
quer le jeune homme qui desservait les tables, supplantaient
la musique de fond à peine audible.

Malgré tout ce brouhaha, l'après-midi s'annonçait
banal, comme tous ceux qui l'avaient précédé.

J'écoutais les gens parler autour de moi. L'accent flamand
de quelques habitués me plaisait beaucoup et m'offrait une
certaine distraction.

Après que la serveuse eut noté notre commande, Edy se
mit à me parler de la médication qu'on venait de lui pres-
crire. Il devait se procurer une pompe de cortisone pour
l'aider à atténuer ses problèmes respiratoires. Le spécialiste
venait d'ailleurs de lui en laisser un échantillon. On ne savait
pas trop encore de quoi il souffrait. Ce n'était pas un simple
rhume, la chose était incontestable, affirma-t-il. Il lui fallait
se soumettre à certains examens d'usage afin de permettre
au médecin de poser un diagnostic.

— J'ai pris rancard à l'hôpital, dès demain, pour passer
des tests, m'informa-t-il, tu viendras avec moi, n'est-ce pas?

Il paraissait anxieux.

Je ne comprenais pas bien pourquoi il semblait tant
vouloir que je l'accompagne, encore une fois. Mais j'ac-
quiesçai, pour le rassurer.

Il me rappela que sa bronchoscopie n'était prévue
qu'après mon retour au Québec. Il détestait maintenant ce
délai qu'il s'était imposé à lui-même.

Pour tenter de calmer sa crainte envahissante, je lui
diagnostiquai savamment une simple bronchite, laryngite
ou quelque chose du genre. Peut-être un tout petit virus,
presque inoffensif. Chose certaine, juste de la fumée… pas
de feu. Il ne fallait pas s'inquiéter outre mesure. Peut-être
même qu'une mauvaise sinusite, selon ce que j'avais déjà

entendu raconter, pouvait être à l'origine des quelques caillots de sang qu'il avait crachés ces derniers jours. Mais rien de ce que je pouvais lui dire ne semblait le rassurer. Il spéculait avec angoisse.

— Je crois que je vais allumer une dernière clope, annonça-t-il au moment du dessert.

Il procéda, les mains tremblantes.

— Le toubib m'a demandé d'arrêter ça tout de suite... c'est la dernière qui m'reste, alors...

Je l'observai, taciturne.

— C'est sûrement, d'ailleurs, ma dernière... ouais... C'est pas normal, tout ça... J'le sens, qu'c'est pas normal...

Du reste, il fut peu bavard. Il ajouta seulement:

— Les loups sentent ces choses-là...

Il savoura sa pseudo dernière cigarette.

Je le trouvais faussement pathétique.

L'âme trop lyrique.

Fin romancier.

Me sortant illico de mes fécondes analyses, un gros chat moucheté, se faufilant entre les tables, monopolisa toute mon attention. Il frôlait librement les jambes des clients sans que ceux-ci ne semblent être surpris de sa présence.

L'incident m'apparaissait insolite. Quand aurait-on toléré pareille chose au Québec? Le félin monta audacieusement sur notre banquette et vint me quémander quelques caresses que je lui prodiguai avec beaucoup de générosité.

La bête ferma les yeux. Ronronna bruyamment. S'enivra avec indécence.

Edy observa la scène avec jalousie.

— Comme j'aimerais être un chat, souffla-t-il de sa voix enrouée.

Je cessai mes câlineries, légèrement déconcertée.

— Et puis, si j'étais un chat, tiens, j'y pense, ajouta-t-il sur un ton léger, j'aurais neuf vies...

Je fis comprendre au matou qu'il avait eu suffisamment de mon affection et qu'il devait poursuivre sa quête ailleurs. Il jeta son dévolu sur la grosse dame rousse de la banquette voisine, pendant qu'Edy continuait de me scruter méticuleusement.

— Quelle drôle de fille tu es... pensa-t-il tout haut, avant de plonger sa cuillère dans le dessert. Eh bien... à défaut d'être un félin et de pouvoir profiter en toute impunité des cajoleries dispensées par de jolies filles, ajouta-t-il avec un petit sourire narquois, je dois bien compenser par les sucreries.

Pas très à l'aise avec ses railleuses allusions, je risquai à peine un retroussement benêt de la lèvre. J'avais, malgré tout ce qui se passait ou ne se passait pas entre nous deux, encore beaucoup d'affection pour lui.

Malgré son amertume.

Malgré sa résistance.

À cause de sa fragilité.

Parce qu'il était lui-même, tout simplement; écorché vif, attendrissante bête sauvage, prise au piège, montrant férocement les crocs, dans son désir paradoxal; espérant à la fois qu'on lui fiche la paix et qu'on le couvre de soins, qu'on le soulage avec douceur de ses blessures encore sanglantes.

Cependant, comme il n'était pas qu'un chat, toute manifestation de mon attachement envers lui avait quelque chose d'engageant.

À la dernière gorgée de café qu'avala Edy entra dans le restaurant un vieux copain, ancien musicien de tournée, avec lequel il avait joué pendant longtemps. Il lui fit un petit signe de la main, l'invitant à venir jaser un brin.

L'homme, un quinquagénaire de corpulence moyenne, au ventre proéminent, les joues rentrantes et flasques, pendantes comme un bouledogue, les lèvres minces et le nez bouffi, portait une abondante chevelure noire, suspecte à son âge, comme gommée de gel, le toupet crêpé; une grotesque caricature, un look désuet à la Elvis, qui me donnait le goût de pouffer de rire et me força presque à me mordre les joues.

L'humanoïde s'avança vers nous, la démarche raide, un sourire bienheureux sur les lèvres, content de pouvoir prendre des nouvelles de son vieux complice qu'il n'avait, semblait-il, pas revu depuis des années. Le bonhomme s'assit sur une chaise voisine, qu'il tira jusqu'à notre table, et Edy entama avec lui une longue discussion animée au sujet des dernières nouvelles, puis, ils se remémorèrent de vieux souvenirs de musique et de bars.

Je les écoutai en silence, sans qu'Edy ne procède à aucune présentation, et sans que l'individu ne démontre aucune curiosité à propos de mon identité.

J'avais l'impression d'être absente du décor.

Je ne m'en plaignis pas toutefois. Cela me laissait tout le loisir d'étudier la scène, avec un peu de recul, confortablement enfoncée dans mon siège. Je me surprenais presque de constater que, malgré son incurable tempérament misanthropique, Edy ait tout de même su, au fil du temps, nouer quelques amitiés, fussent-elles un peu négligées avec les années.

Ils ramenèrent à leurs mémoires les annales d'une époque révolue. Je me plus à les entendre relater, l'un et l'autre, diverses anecdotes qui remontaient à un temps où je n'étais pas encore née. Edy rit à gorge déployée, en se tapant sur les cuisses. Ils avaient l'air, tous les deux, de vieux gamins. J'aimai bien écouter toutes ces histoires; le contempler, le voir revivre de la sorte. Rêveuse, je me reportai à l'appartement, où, nostalgique, il s'était remémoré, l'autre jour, quelques souvenirs heureux du conservatoire et les années florissantes qui avaient suivi. Je revoyais les cercles gigognes qu'il avait tracés, tels des abîmes, dans la poussière de sa guitare, comme autant de cibles indiquant l'époque où il était irrémédiablement resté accroché.

Sa nostalgie était troublante.

Je voyais le bonheur dans ses yeux, chaque fois qu'il évoquait ce temps.

Je ne les aurais interrompus pour rien au monde.

J'aimais le voir heureux.

— Non, mais, c'est vrai! lança-t-il avec enthousiasme de retour au logis, lançant ses clés sur le comptoir pour mieux enlever son blouson. Il faudrait vraiment que j'me remette à la basse! Ça m'ferait du bien de déconner un peu, à nouveau. Tu sais... je pourrais p't'être bien même rejouer dans de p'tits cabarets avec les potes. T'as entendu ce qu'il a dit? Ils cherchent justement un musicien pour remplacer Coco!

Ce fameux Coco était décédé d'un arrêt cardiaque, il y avait quelques semaines, avais-je appris lors de la discussion au restaurant. Edy avait semblé en être un peu affecté, en encaissant la nouvelle. Je comprenais. Un vieil ami qui meurt, quand il a votre âge... Lorsque vos semblables commencent à tomber les uns après les autres, j'imagine que cela vous pousse à l'urgence de vivre.

Edy sentait soudainement cette nécessité, on aurait dit.

— T'es dingue! lui avait rétorqué le bonhomme, lorsqu'Edy lui avait parlé de se remettre à la basse. Y a des décennies que tu n'en as pas joué! Les doigts, ça se crispe, ça s'engourdit hein... on n'est plus jeunes, jeunes.

— Ho là là, qu'est-ce que tu racontes! avait protesté Edy, froissé. Parle pour toi, hein... T'inquiète! Mes doigts n'ont rien perdu de toute leur agilité, hein! Loin de là! avait-il lancé, en croisant furtivement mon regard témoin, soucieux de défendre son orgueil de mâle déclinant.

— Hé hé... avait gloussé le faux Presley en me roulant un œil pervers.

Edy, qui n'avait pas eu la moindre arrière-pensée en défendant sa cause, avait tout de même retroussé légèrement le coin de la lèvre, flatté, lorsqu'il avait saisi l'insinuation. Il m'avait décoché un œil fier, enchanté par ma jeune présence qui, à ses côtés, semblait faire office de preuve à ses allégations.

Edy reprit son trousseau de clés sur le comptoir. Joua avec celui-ci, nerveux, songeur. Il me proposa un café tout en reprenant de plus belle ses inépuisables projections. Je l'écoutai proclamer son éventuel retour en force dans l'industrie du spectacle. Il détenait encore de nombreux contacts dans ce monde privilégié.

Il avait déjà fait la belle vie.

Vécu grassement, de manière affranchie, en sorte de prolongement de sa jeunesse molletonnée.

Mais aussi surprenant que cela puisse paraître, il avait — à l'instar de son père — fait sans arrêt la navette entre Monaco, Paris et Bruxelles, fréquentant, quant à lui, tout le gratin du showbiz européen. Il s'était toutefois imposé d'être plus présent à la maison lorsque survint la naissance de celle qui fut sa seule et unique fille. Néanmoins, les contraintes du métier le forçaient quand même à s'absenter souvent. Trop souvent, selon ce qu'en pensait sa femme. Mais pas assez pour lui qui, malheureux avec elle — par manque d'affinités et de nombreuses divergences d'opinions —, cherchait sans cesse à la fuir.

Après quelques années de tout ce cirque, son mariage avait dégénéré. Par déni de l'échec, sans doute, il se remaria dès l'année suivante et poursuivit sa course folle, multipliant les mondanités et les dépenses exorbitantes dont raffolait sa nouvelle épouse. Il traita celle-ci littéralement comme une reine; peut-être pour effacer les relents de culpabilité issus de sa première union. Toutefois, lors de la période creuse qui suivit, son récent mariage sombra pareillement. Éclairé par les foudres de sa seconde épouse, il se reprocha à lui-même d'avoir reproduit le schéma paternel.

Il sombra dans des profondeurs soporifiques.

Faillite, alcool, narcotiques.

Lancinante léthargie.

Nul n'était arrivé à l'extirper de son naufrage.

Il était parti à la dérive, sans opposer de résistance, sans tenter de se battre.

Plusieurs l'avaient perdu de vue.

Il avait, un jour, remonté la pente, était sorti péniblement de la boueuse succion des marrais, tel un effroyable survivant, presque monstrueux, portant le poids de toutes ses souffrances.

Il était depuis resté dans l'obscurité, désabusé de bien des choses, et de la vie, surtout. C'est là que la leucémie s'était déclarée, qu'il avait espéré l'ultime délivrance, le terme de son accablement.

Il se mit à fouiller sous le divan pour ressortir de vieilles partitions de musique. J'en profitai pour jeter un petit coup d'œil au contenu des boîtes de photos qu'il dégagea.

Je découvris Edy de manière différente.

Plus jeune.

Plus beau.

Adolescent, souriant, plein de rêves encore.

Puis, sur le perron d'une église, en veston et cravate, donnant le bras à une belle blonde en robe blanche; premières noces.

Une autre image, aussi, quelques années plus tard, dans d'autres lieux, civils ceux-là, le montrait passant le jonc à une petite brunette un peu ronde.

Ensuite, je le reconnus enfant, sur une vieille photo, jaunie et craquelée, donnant la main à sa mère.

Il me laissa fouiller encore dans les boîtes pendant qu'il continuait de chercher des partitions. Plus ou moins attentif à mes découvertes, il était considérablement préoccupé par les siennes.

J'observai avec intérêt d'autres photographies, en noir et blanc, plus récentes, qu'il avait prises lui-même, celles-là en tant que photographe, dans quelque quartier défavorisé de la ville. Je découvris le poète derrière l'objectif, sensible qu'il avait été à la misère, à l'immense tristesse du regard vide d'une femme âgée, sans abri, vêtue de loques, assise sur le pavé, le dos appuyé à une poubelle de tôle. Je partageai son trouble; il avait été touché par l'impuissance d'un pauvre chien opprimé, enchaîné à un arbre, dans un parc où la miséreuse bête aurait sans doute aimé courir librement. La photo figeait à jamais son image, la mâchoire grande ouverte, gueulant son désir de liberté à la vue d'enfants jouant au ballon, tout près.

J'imagine qu'il avait dû repenser alors tristement à son loup.

Puis... je remis de nouveau la main sur la photo mystérieuse de 1985.

— C'est... Hélène, m'apprit Edy, remarquant que je m'attardais plus longtemps sur cette image.

Il étendit ses découvertes musicales partout sur le tapis.

Je le regardai, impassible, l'air de ne pas attendre d'autres précisions.

— C'est... une femme... que j'ai aimée jadis, précisa-t-il.

Il s'assit par terre. Croisa les jambes en Indien et fouilla sommairement parmi les feuilles étalées autour de lui.

— C'est de l'histoire ancienne, continua-t-il. Des années de déchirement, à se reprendre et à se laisser. À se détruire, quoi, se mettre en ruine.

Je ne me surpris pas de cette confidence.

Je savais qu'il ne comptait que des déboires amoureux.

Certains plus retentissants que d'autres.

Son premier mariage avait été une affaire de famille, qu'il ne voulait pas décevoir. Le second était le résultat de l'inévitable attrait financier qu'il avait malgré lui exercé sur une opportuniste stratégique, alors qu'il était encore au sommet de sa gloire. Elle avait d'ailleurs fini par le balancer, sans trop de scrupules, dès que son succès avait commencé à décliner. et qu'elle avait anticipé sa banqueroute dont elle portait, par ailleurs sans l'assumer, une bonne part de responsabilité.

L'amour l'avait toujours déçu.

— L'amour est un piège à con, annonça-t-il.

Puis, posant sur moi un regard morne:

— Je l'avais oublié, encore une fois...

Il ravala sa salive et continua de me fixer, avec un profond dépit dans l'eau du regard, l'air de me supplier de lui tendre la main, pour lui éviter la noyade.

Comment pouvais-je lui venir en aide; j'avais l'impression moi-même de ne plus savoir nager.

Je baissai les yeux.

— Il y a eu une autre femme, depuis?

— Non...

Il baissa le regard à son tour.

— Juste toi, murmura-t-il. Dix ans de solitude...

Il se leva spontanément, comme pour gâcher le pathétisme de la scène.

— Un plumard de moine, mon lit! s'esclaffa-t-il, l'air de vouloir en rire.

Il toussa beaucoup pendant la soirée.

Il avait froid.

L'humidité de la journée semblait lui avoir investi les os, tant il frissonna pendant un long moment. Je lui préparai une bonne tasse de thé chaud. La pluie continuait de marteler la vitre.

Je tirai les rideaux. Il était tard. Il valait mieux se mettre au lit. J'étais fatiguée et puis je craignais d'avoir pris froid, moi aussi. La semelle de mes souliers était craquelée et l'eau s'était infiltrée, ce qui fait que j'étais rentrée de la ville les pieds mouillés, en fin d'après-midi.

J'allai prendre un bon bain chaud avant de passer une chemise de nuit et de rejoindre Edy, grelottant sous les couvertures.

Il tourna plusieurs fois sur lui-même. Tapotait les oreillers, les replaçait autrement, repoussait les couvertures pour les reprendre de nouveau, soupirait comme un buffle et s'impatienta enfin de ne pas arriver à se détendre.

Il gémit, en désespoir de cause.

Comment aurais-je pu dormir avec pareille girouette à mes côtés? Une angoisse effarante semblait le persécuter.

Je me blottis doucement dans son dos, espérant l'apaiser un peu. Je glissai mes doigts sur son torse nu et je le caressai, tentant de lui procurer un peu de calme. Il se tranquillisa, mais il ne fut pas long à geindre de nouveau.

— Je... je ne me sens pas bien... grinça-t-il. J'ai chaud, j'ai... j'ai froid... je dois faire de la température. Il ne faut pas! Si la fièvre grimpe trop, il faut me rendre d'urgence à l'hôpital, tu comprends? Mon système immunitaire est complètement à plat. C'est dangereux...

Je ne comprenais pas vraiment, non, comment une simple fièvre pouvait générer autant d'inquiétude. C'était ahurissant. Tout le monde a déjà pris froid. On n'en fait pas tout un plat. Pourquoi cette panique? Était-il guéri, oui ou non, de cette foutue leucémie? Je n'y comprenais plus rien. Je jugeai cependant que ce n'était pas le moment de m'enquérir de ces détails. Je ne voulais pour rien au monde le contrarier. Ce n'était apparemment qu'une tempête dans un verre d'eau, mais je sentais qu'une simple question aurait pu provoquer ses foudres.

Je restai muette.

Je tentais de discerner le faux du vrai.

Soit il avait menti au sujet de sa présumée guérison, soit il se plaisait malicieusement à jouer le rôle de victime. Je ne voyais pas d'autres possibilités.

Il fallait être franchement mesquin pour tenter de me duper de la sorte, comme si j'étais une idiote.

Manipulateur!

J'eus envie de me révolter contre lui, mais je n'en fis rien, hésitante; il avait l'air convaincant, après tout... et s'il ne feignait pas?

J'étais confuse.

Il céda à une violente quinte de toux. S'étouffa rudement. S'assit sur le bord du lit pour cracher dans la poubelle.

J'étais dégoûtée.

— Va me chercher le thermomètre... sur le bureau, là-bas, implora-t-il, en se recouchant avec peine.

Son anxiété avait quelque chose d'étrangement authentique; à faire douter quiconque.

Je me levai alors, docile.

Dans la pénombre de la nuit, je me dirigeai à tâtons vers le bureau. Je me cognai atrocement l'orteil sur le pied du divan. En maugréant, réprimant quelques ignobles bêtises, je poursuivis mon pénible chemin.

Je n'y distinguais rien ou à peu près.

— Où c'est? demandai-je, une fois devant le bureau.

— Je ne sais pas, gémit Edy, peut-être sur le dessus de l'ordinateur.

— Sur le dessus de l'ordinateur? Comment ça, sur le dessus de l'ordinateur? m'impatientai-je en tâtant le dessus de l'écran, n'y comprenant rien.

— Sur le boîtier, pauvre idiote, spécifia-t-il.

Je serrai les dents.

Je déplaçai mes tâtonnements vers la gauche.

En touchant enfin le dessus du fameux boîtier, je frôlai avec maladresse un petit objet. J'entendis un drôle de bruit, qui ne fit pas rire Edy...

— Qu'est-ce que c'était, ce bruit? s'affola-t-il.

— Je... je crois que c'était...

Il hurla:

— C'était le thermomètre!

J'eus tout à coup envie de m'énerver à mon tour. Je me sentais pitoyable et incapable de répondre. Je me mis à trembler comme une feuille et, à quatre pattes, je cherchai désespérément l'objet sur le tapis. Je le trouvai enfin. Fière de le découvrir intact, je tâchai de rassurer Edy tout de suite.

— Je l'ai, je l'ai! Il n'est pas cassé! annonçai-je, soulagée.

— Ce que tu peux être maladroite, jamais vu ça, maugréa-t-il, en s'étirant avec peine pour allumer la petite lampe qui se trouvait sur la table de chevet.

— Le voici... dis-je, en lui portant hâtivement l'objet.

Il se saisit du thermomètre et l'observa avec attention sous la lumière.

— Bravo! Le mercure est divisé maintenant! vociféra-t-il. Ce thermomètre est foutu! Et je n'en ai pas d'autre! Il est une heure du matin! Où crois-tu qu'on puisse trouver un autre thermomètre à cette heure?

Je me sentis fondre de honte. Quelle sotte j'étais. Si seulement j'avais allumé la lumière pour y distinguer quelque chose...

— Pas croyable! Mais t'es venue pour foutre la merde dans ma vie, toi, ou quoi? Rien d'autre à faire? Comme si j'avais besoin de ça, moi! Tu mériterais une de ces baffes!

J'aurais voulu être ailleurs.

L'incident était ridicule et j'avais été très gauche, mais tout de même...

— Si j'me retrouve à l'urgence, beugla-t-il encore, tu y seras pour quelque chose, hein!

Je commençais à en avoir marre de mon voyage en Belgique.

Si j'avais d'abord cru qu'il jouait le malade pour

m'inspirer de la pitié ou réveiller mon instinct maternel — enfin quelque chose du genre — je pensais maintenant plutôt qu'il mettait incontestablement tout en œuvre pour tenter de me faire fuir.

Il est vrai que j'étais assez gaffeuse ces derniers jours. Peut-être parce qu'il me rendait nerveuse, je n'en sais trop rien.

Au souper, j'avais fait brûler les steaks sur le poêle, n'étant pas très habituée de cuisiner au gaz. J'avais eu droit à une mitraillade d'insanités et un canon chargé d'injures.

— Non mais tu le fais exprès? avait-il fulminé. Quand est-ce que tu cesses de me faire la vie dure? J'ai toutes les misères du monde à respirer ces derniers jours, je crache le sang comme un malade, le médecin m'a même demandé de cesser de fumer, et toi, toi, tu emboucanes tout l'appartement! Tu veux m'asphyxier ou quoi?

Il avait toussé beaucoup, avait eu peine à terminer sa dernière phrase, s'étouffant avec ses insultes. C'était bien fait pour lui, m'étais-je dit intérieurement.

La fumée avait envahi tout le logement. J'avais les yeux irrités. Quelle étourderie...

Il s'était précipité vers la fenêtre pour l'ouvrir toute grande, et ensuite vers la porte d'entrée, pour créer une circulation d'air, espérant évacuer la fumée au plus vite. Elle s'éleva dans le corridor de l'immeuble pendant qu'il postillonnait encore de rage, bramant que les voisins allaient s'en plaindre, que tout était de ma faute et que j'étais vraiment stupide. Il gueulait que ça n'avait pas de bon sens de l'obliger à ouvrir les fenêtres alors qu'il faisait si froid et humide dehors. J'allais assurément le faire mourir.

Je m'étais emmurée dans un silence de mort, croulant sous le poids de ses vociférations, me terrant dans le fauteuil, recroquevillée comme une gamine, penaude.

La violence de ses invectives m'effrayait.

Je m'étais pris la tête entre les mains.

J'implorais la fin de ce cauchemar.

Lorsqu'il avait eu fini de déverser son torrent de rage, et qu'un long silence s'était abattu sur nous, je lui avais demandé, à voix basse, prudente, pour ne pas le provoquer, de me donner le numéro de téléphone de l'aéroport.

— Pour quoi faire? avait-il rétorqué.

Je m'étais contentée de lui offrir un regard aphasique.

— Pas question que tu touches à mon téléphone! avait-il opposé. On n'est pas au Québec, ici! On est en Europe! Chaque fois que tu décroches la ligne, on me fait payer des frais. Tu m'as déjà coûté assez cher comme ça... et je ne dépenserai pas un franc de plus pour toi... c'est clair?

Je soupirai. Encore.

Je n'avais fait que ça, depuis mon arrivée. Soupirer.

Je n'arrivais pas à le cerner. Je ne savais plus rien de ce qu'il pensait. Ne voulait-il pas, comme moi, mettre fin à cette abominable histoire? Pourquoi me mettre des bâtons dans les roues, maintenant que j'étais prête à capituler?

— Bien, dis-je, résignée à me soumettre à ses moindres caprices, question de ne pas le contrarier. Alors tu iras me reconduire à l'aéroport demain, n'est-ce pas? Je m'organiserai bien une fois rendue là-bas.

— Le gaz aussi, ça coûte cher, grogna-t-il encore.

— Je paierai les frais! m'impatientai-je.

— Tu prendras un taxi.

C'est moi, maintenant, qui avais envie de lui balancer ma main sur la gueule.

Je n'avais jamais haï un homme à ce point. D'ailleurs, pouvait-il en exister un autre plus détestable?

Dire que j'étais venue jusqu'ici en espérant trouver l'amour...

Quel calvaire, la Belgique.

Furieuse à cause de son entêtement, j'avais agrippé mon chandail de laine et j'avais claqué la porte, fuyant dehors, pour chercher une bouffée d'air frais.

— Je m'en vais à l'épicerie! avais-je laissé tomber, frustrée, me demandant pourquoi je me donnais encore la peine de lui rendre des comptes.

La pluie avait cessé.

J'avais marché sur l'accotement, en direction du supermarché.

Quelques kilomètres.

Deux ou trois, peut-être.

Maintenant que j'avais fait brûler la viande, il fallait bien trouver autre chose à manger.

La petite balade jusqu'au Delhaize allait peut-être me faire du bien, m'apaiser un peu, me permettre d'y voir plus clair.

J'observai le décor.

Elle était belle, malgré son chagrin, la Belgique.

L'eau ruisselait le long du trottoir, et sur mes joues.

J'étais entrée dans l'épicerie sans savoir si j'avais seulement encore envie de manger. Il y avait de quoi perdre l'appétit. Mais Edy avait peut-être encore faim, lui, privé de son steak...

Je ne sais pourquoi je me préoccupais encore de lui.

Il aurait mérité tout mon mépris.

Je résolus de trouver quelque chose qui se mangeait froid... un sandwich au jambon, tiens, peut-être... qu'il retourne donc à ses bonnes vieilles habitudes réconfortantes.

Je traînais dans les allées, en prenant tout mon temps.

J'arrêtais devant les boîtes de céréales, puis les conserves, pensant ramener autre chose à manger, tant qu'à y être. Peut-être du surgelé, tiens, pourquoi pas.

Je sentis soudain qu'une ombre surgit derrière moi.

Quelqu'un avait passé tout droit, au bout de l'allée, et revenait précipitamment sur ses pas.

Une grande enjambée et la silhouette se planta là, sans bouger, au bout de la rangée.

Il était là.

Un sourire timide dessiné sur les lèvres.

Essoufflé.

Un vrai gamin.

À croire qu'il avait eu la trouille.

La trouille que je me sauve.

Que je le quitte.

Que je l'abandonne.

Que je reparte pour l'Amérique, sans préavis.

Sans lui.

Il resta dressé là, muet et chancelant, un peu confus. Crétin souriant, refoulant son orgueil. Il avait l'air un peu idiot, désarçonné.

Mais il était bouleversant, les yeux flottant dans l'eau, la lèvre tremblante.

L'image est restée gravée dans ma mémoire.

Chapitre 14

Il tapait à l'ordinateur, un café sur le bureau, en tenue matinale; camisole et pantalon de pyjama. Cheveux en broussaille.

Je ne savais pas depuis combien de temps il était levé, mais son travail semblait aller bon train.

— Tu veux un café? me demanda-t-il, lorsqu'en détournant les yeux de l'écran, il m'aperçut assise dans le lit.

Je ne sais pourquoi la pluie, les matins et les heures avaient tous le mystérieux pouvoir de balayer nos disputes.

— Ça va, lui dis-je. Merci. Je m'en ferai un moi-même tout à l'heure.

Après avoir bayé aux corneilles, je lui demandai s'il avait réussi à dormir un peu et s'il allait mieux. Il me répondit qu'il se sentait très bien et de ne pas m'inquiéter du froid qu'il avait pris.

— Et ton roman, lui, comment va-t-il? dis-je, me montrant intéressée.

— Étonnant! Je n'ai jamais eu tant d'inspiration. Cette histoire est captivante... affirma-t-il, la voix allant decrescendo, replongeant sitôt dans sa fiction.

Il ramena, avec le doigt, ses lunettes sur le bout du nez et recommença à taper fébrilement sur le clavier.

Son petit air intello me fit sourire.

Cet homme était un pur paradoxe; moitié primitif, moitié civilisé. Il possédait un passé à la fois mondain et sauvage, il était aussi cérébral qu'instinctif. Et pourtant... on ne pouvait trouver homme plus entier. Malgré la cohabitation inouïe, en lui, d'autant de violence et de douceur, bien qu'il soit aussi redoutable qu'inoffensif, il était cohérent dans tous ses désordres.

Je réfléchis au scénario sur lequel il travaillait.

À la quête de ses personnages.

À la sienne.

À la nôtre.

Il m'apparaissait curieux, tout de même, qu'un homme aussi farouche, un homme-loup, considère l'amour comme une quête spirituelle. Pourquoi chercher l'émotion? Le sentiment? Le privilège? Les lendemains? Pourquoi vouloir insuffler une dimension inspirée à l'élan vers l'autre? Pourquoi, s'il était loup, se laisser envahir de la sorte par ce qui me semblait maintenant être le plus pitoyable des drames humains...

«Les loups sont des compagnons fidèles», m'avait-il déjà dit.

Je souriais.

Jamais vu un animal aussi vertueux.

Une bête, à la recherche de sens, de cohésion, de prolongement. Une femme, venue de nulle part pour le confondre, le faire douter, et regretter d'être avant tout, malgré lui, un homme.

Peut-être qu'au tournant d'un autre cycle qui s'achèverait, encore une fois, une apocalypse serait nécessaire. Le Mal serait de nouveau relâché par une femme; il n'y a pas de jardin d'Éden sans Ève, sans Adam, sans pomme, sans désir de savoir, sans crainte et sans nudité à cacher.

Sempiternel recommencement.

Le paradis conduit aux portes de l'enfer. Damnation inéluctable de la race humaine.

Le malheur vient avec l'homme.

Je n'étais pas certaine d'avoir le goût de lire son roman. Je craignais qu'il ne se termine sur une réflexion de la sorte.

Je méditai encore longtemps pendant qu'il continuait d'écrire.

Il était déjà l'heure de me préparer. Autant laisser ces questions existentielles aux philosophes. Edy avait pris rendez-vous dans une heure à l'hôpital; je ne l'avais pas oublié. Il me tardait que le docteur pose un diagnostic afin que nous soyons fixés et qu'Edy se calme enfin. En proie à pareille appréhension, il l'était également à toutes les sautes d'humeur possibles et je commençais à avoir besoin de quelque ménagement.

Je me levai donc, me préparai un café, et commençai à m'habiller pour sortir, tandis qu'absorbé par son travail, Edy continuait d'écrire. Il finit par mettre son roman en veilleuse après un petit quart d'heure afin d'entreprendre, lui aussi, de se vêtir convenablement.

Il enfila une chemise à carreaux et un pantalon gris. Ce dernier semblait un peu trop grand pour lui. Il nota, à voix haute, qu'il avait perdu du poids ces derniers temps et alla chercher, dans un tiroir, une paire de bretelles à rayures qu'il fixa sur la taille de son pantalon avant de la glisser par-dessus ses épaules et de passer un petit coup de peigne final dans ses cheveux.

À le voir attriqué de la sorte, je haussai les sourcils. Je ne pouvais pas croire qu'il se rendrait en ville costumé à la paysanne. D'ailleurs, cet attirail ne rajeunissait pas son allure. J'allais lui suggérer, avec tact, bien sûr, de renoncer du moins aux bretelles, d'utiliser plutôt une ceinture, mais je me retins de le faire lorsque je le vis s'observer avec satisfaction dans le miroir.

Fier, il s'exclama:

— Voilà! C'est parfait, ça! Non mais, je fais assez bien mon âge, tu ne trouves pas? J'veux dire, y a quand même des tas de mecs qui, près de la soixantaine, paraissent beaucoup moins bien, non?

J'eus presque envie de simuler le même enthousiasme, pour ne pas le froisser.

Comment pouvais-je répondre à pareille crédulité? Comment lui dire que son miroir était déformant... À moi, il apparaissait tout autrement; blême et maigre. Tristement vieux, malade.

Je m'en chagrinais.

Le reflet qu'il apercevait devant lui n'était qu'un funeste mensonge.

Je mentis alors, à mon tour.

Qu'importe?

Du temps de nos correspondances, il m'avait d'abord trompée au sujet de son âge. Lorsque je l'avais questionné à cet effet, dans le cours de l'un de nos échanges, il avait répondu vaguement, ayant quelques réticences à le dévoiler. Il m'avait demandé de tenter a priori de le deviner. Mais à la seule lumière de nos entretiens épistolaires, comment aurais-je pu alors estimer son âge avec précision? J'évaluai, à partir de l'unique photo de lui que je détenais, d'une certaine maturité dans ses propos, d'une culture générale assez étendue et d'une expérience de vie évidente, qu'il devait se situer dans la quarantaine, à tout le moins. Cela sembla le complimenter et l'embarrasser à la fois. Il fallait faire monter les enchères, m'avait-il fait comprendre. Je sus alors qu'il avait la cinquantaine avancée. Cinquante-six, m'avait-il affirmé, avec beaucoup de ménagement, craignant de me faire fuir aussitôt. J'avais ravalé ma salive; l'écart m'avait semblé énorme, à la limite du concevable. J'avais vingt-huit ans. Il avait le double de mon âge.

Ce n'est que plus tard, lorsqu'il fut plus assuré de mon attachement pour lui, et qu'il s'inquiéta un peu moins de ma réaction, qu'il me confia enfin qu'il avait, en fait, cinquante-huit ans. Je m'étais un peu offusquée de le découvrir capable de mentir. Surtout pour aussi peu. Pourquoi autant de réserves, lui avais-je demandé, pour deux ans de plus ou de moins à déclarer? Parce que ces deux petites années de plus, l'air de rien, faisaient passer notre écart d'âge de vingt-huit à trente ans.

Trente ans.

Dans sa tête, ce n'était plus un fossé, c'était une falaise.

Un incroyable précipice qui lui donnait le vertige.

Il m'avait révélé qu'avant notre rencontre, il avait abordé quelques inconnus dans un centre commercial de Bruxelles pour leur demander quel était l'âge qu'on lui supposait. Il avait récolté de très prudentes réponses qu'il avait voulu croire honnêtes et dont il avait tiré une moyenne qui lui avait permis de se conforter, en attendant nerveusement mon arrivée. J'avais trouvé la chose drôle, voire attendrissante, lorsqu'il me l'avait racontée, fier du résultat de son sondage. Je souriais en entendant sa voix enflammée au téléphone. Elle était charmante, son inquiétude, sa crainte au sujet de notre grande différence d'âge. Sa préoccupation dévoilait une amusante coquetterie et j'avais été très flattée par son profond désir de me plaire. Maintenant, je me troublais à l'évocation de ces souvenirs.

Quel drame, que celui de la jeunesse qui s'enfuit, sans aucun espoir de retour, engloutie à jamais dans le terrible trou noir de l'existence.

Je comprenais sa tragédie.

Je concevais enfin mon rôle; je procédais de sa résistance. Tout m'apparaissait dès lors évident.

Dans son désert de solitude, au centre de son inévitable déclin qu'il appréhendait avec effroi, il avait vu en moi le chemin de son salut.

J'incarnais sa fontaine de Jouvence.

Il puisait à ma jeunesse, assoiffé qu'il était, tentant de refaire ses forces, espérant en vain pouvoir combattre miraculeusement le temps qui passe. Au cœur de son utopie, il avait cru l'amour possible. Devais-je lui refuser à boire et l'abandonner à la sécheresse du désert? Pouvais-je, indolente, pour toute réponse à sa profonde détresse, lui exposer mon dédain? M'abstenir de lui tendre la main? Peut-être que, désaltéré, il calmerait son angoisse de la mort. Ne pouvais-je lui consentir quelque rafraîchissement, lui offrir un soupçon d'apaisement? Serait-ce alors amour, pitié ou compassion?

Je comprenais soudainement pourquoi, dans son affolement, il désirait avec tant de résolution renouer avec les activités de sa jeunesse. Comme s'il avait pu retourner en arrière, remettre le compteur à zéro, brouiller les pistes, retenir les minuscules grains de sable s'écoulant du sablier.

Cependant, le temps est une substance qui file inéluctablement entre les doigts.

Edy cherchait obstinément à s'occuper l'esprit, à ne plus penser à la mort, à engourdir ses frayeurs. Peut-être que, dans l'urgence, il se persuadait que sa vie ne pouvait déjà s'achever, trop de choses lui restaient à accomplir encore. Sans doute avait-il commencé d'écrire son roman dans la terrible crainte de partir et de ne laisser de lui aucune trace. Un désir de marquer le temps d'une empreinte significative. Comme une signature, au bas d'une vie.

Dans le fol espoir que son existence n'ait pas été vaine, il avait entrepris de noircir les feuilles, dans une sorte de cri de détresse, signalant sa présence à l'Univers qu'il sentait tout près de l'engloutir.

Comme on crie d'effroi avant de se voir écraser la cervelle sous les roues d'un camion.

Le cri final.

L'ultime, avant le silence infini dans lequel tout s'anéantit.

La panique du soldat qui tient une grenade dégoupillée dans sa main.

L'émeute, dans son esprit. Des frayeurs courant dans tous les sens.

Au centre, le spectre de la mort.

L'attente de l'ultime seconde.

Je compris ainsi qu'il se voyait très distinctement dans le miroir. Il refusait, simplement, d'accepter son reflet. Il m'apparut évident, à la lumière de ce que je découvrais, que ma jeunesse recelait pour lui quelque chose d'intolérable. Une honteuse méprise à propos de lui-même.

Échec inavouable.

Je lui faisais affront, bien malgré moi, et le réduisais, par ma simple présence à ses côtés, à sa mortifiante condition. Ce n'est pas sans raison si, durant tout le temps de ma présence là-bas, je ne rencontrai aucun membre de sa famille.

Je me souvins de ma première visite au supermarché, puis d'une autre subséquente: alors qu'il s'impatientait à la recherche d'une place de stationnement, nous croisâmes de nouveau sa sœur aînée qui revenait à pied de faire ses courses. Nous faillîmes la renverser en voiture. Il se contenta, frustré, de la klaxonner pour lui reprocher de nous avoir coupé le chemin et celle-ci maugréât contre lui — comme elle l'aurait fait pour n'importe quel autre chauffard — et dirigea contre nous un regard inquisiteur lorsqu'elle remarqua ma présence du côté passager.

Je savais qu'il avait aussi une sœur cadette, qu'il affectionnait particulièrement, mais il n'eut pas l'idée de me la présenter non plus.

À deux ou trois reprises, lors de mon séjour, j'eus connaissance, lors de conversations téléphoniques avec sa fille, qu'il lui parlait de moi; cependant, nous n'eûmes nullement l'occasion de la rencontrer. Il affirmait qu'elle était malade et contagieuse, et qu'en ces circonstances, il ne pouvait la fréquenter, au risque de mettre en péril sa propre santé chancelante.

Comment aurait-il pu supporter le regard désobligeant de ses proches, le jugeant avec une outrageante lucidité, trop vieux et trop malade pour suffire aux exigences élémentaires de ma jeunesse éclatante? Peut-être avait-il eu d'abord la naïveté de croire la chose possible, mais il savait maintenant à quel point il avait fait erreur. Avait-il besoin qu'on le lui dise? Qu'on lui écrase le nez sur sa faute? Et puis, comment aurait-il pu expliquer ma subite réserve à son endroit, lui qui avait, paraît-il, crié haut et fort, sur tous les toits, avant mon arrivée, que j'étais aussi follement amoureuse de lui qu'il était lui-même amoureux de moi?

Voilà, sans doute, pourquoi il ne me présenta à personne.

J'étais son douloureux échec.

Son pénible secret.

Son combat perdu.

Sa mortelle blessure.

Heureusement, ce matin-là, il ne pleuvait pas. L'humidité, cependant, ne faisait pas relâche. Il y avait toujours ce froid et cette brume perpétuelle sur la ville. Un ciel embrouillé.

Edy se montra très impatient dans les couloirs de la clinique. Les examens prévus le rendaient nerveux, d'autant plus que les résultats ne seraient pas connus avant vingt-quatre à quarante-huit heures.

Il avait les yeux tristes. Comme un chien battu. Je ne savais rien du temps qui lui restait à vivre. Je ne savais pas non plus s'il y avait réellement une menace imminente, une raison valable de s'inquiéter à ce point, mais son angoisse était si envahissante que je ne pouvais désormais plus douter d'elle.

Il s'appuya le dos au mur, s'y tapota inlassablement le derrière de la tête, comme un fou dans un asile, égaré dans ses appréhensions.

Mon sentiment d'impuissance était grand.

Affectée par sa détresse, je m'avançai et me blottis tout contre lui dans l'espoir de le réconforter un peu. Il m'entoura de ses longs bras. À quelques reprises, il baisa doucement ma chevelure et soupira avec lassitude dans mon cou. J'aurais tant voulu pouvoir le guérir de tous ses chagrins.

Nous restâmes longtemps liés l'un à l'autre.

Lorsqu'une femme en uniforme vint enfin le chercher pour le conduire à la salle de prélèvements, elle eut la maladresse, me demandant de bien vouloir patienter dans la salle d'attente, de m'adresser la parole comme si j'étais la fille d'Edy.

Coup fatal à l'image du miroir.

À l'insu de l'infirmière, qui le conduisit par le bras comme un vieillard, il me regarda d'un air outragé. Elle ne sembla pas prendre conscience de son incroyable manque de tact.

J'allai m'asseoir docilement, navrée de cette gaucherie dont je mesurais les effets néfastes sur les chimères d'Edy.

Chapitre 15

Au milieu de la nuit suivante, Edy fut encore une fois agité. J'eus, par conséquent, beaucoup de difficulté à me détendre. Il tourna plusieurs fois sur lui-même, jusqu'à m'étourdir.

Il toussa, se leva et se recoucha mille fois, respira comme un monstre, s'endormit, se réveilla, eut chaud, eut froid, somnola, sursauta, se plaignit, tira les couvertures, prit nerveusement sa température, toussa encore et eut, en dernier lieu, recours à son inhalateur.

J'essayai de lui offrir le plus de confort possible, de me faire toute petite dans le lit. Je lui demandai même s'il ne préférait pas que j'aille m'installer sur le divan pour qu'il soit plus à l'aise, mais il insista pour que je reste près de lui. Je me sentais si fatiguée que, n'arrivant plus à trouver une position convenable pour m'endormir à ses côtés, je me rendis tout de même sur le divan. Il ne me retint pas.

Le silence s'installa.

Je crus qu'il allait s'assoupir et moi de même.

Il recommença à expectorer rudement.

Je le distinguai, dans l'ombre, assis sur le bord du matelas.

Il passa la main sur son visage et cracha dans la poubelle.

Je l'entendis écumer, entre deux quintes de toux:

— Je crois que je n'ai jamais été aussi fâché contre la vie. Là, elle est allée trop loin, et je voudrais bien lui pisser dans la gueule!

Il se recoucha.

Je me sentis égoïste d'avoir choisi le divan pendant qu'il angoissait seul dans le lit.

J'osai lui chuchoter de se tranquilliser un peu et de patienter. Bientôt, les résultats des tests seraient connus et on lui dirait certainement qu'il ne souffrait que d'une bronchite un peu coriace. Il fallait qu'il cesse de se tourmenter autant.

Son inquiétude m'épuisait.

Il travailla encore beaucoup à l'écriture de son roman dans les jours qui suivirent. Il se leva très tôt le matin pour se mettre à l'ouvrage. Moi, je dormais toujours aussi grassement tout au long de l'avant-midi. Même lorsqu'il n'écrivait pas, je le savais encore très empreint de son histoire. Quelques fois, au milieu d'un repas, il se leva de table pour aller griffonner quelques phrases avant qu'elles ne lui échappent.

J'aimais le savoir occupé d'autres choses que d'appréhensions. Écrire lui faisait apparemment le plus grand bien. Par ailleurs, afin d'arriver à cesser de fumer plus facilement, il lui fallait orienter son attention ailleurs que sur ses privations. Toutefois, il ne fut pas sans manifester quelques signes d'impatience lorsque, dépouillé de toute cigarette, il eut envie de se mettre à rugir comme un lion.

Au souper, je lui préparai une délicieuse poutine version belge! Évidemment, je n'avais pas réussi à trouver de fromage en grains au supermarché; trésor inexistant au plat pays, selon mes sommaires recherches. Cependant, il

fallait bien que je trouve un moyen d'apporter le patrimoine culinaire québécois jusqu'à lui. Qu'à cela ne tienne,
au pays de la frite, même sans sauce brune commerciale
appropriée, j'allais concocter, grâce à certains ingrédients
choisis, quelque chose de ressemblant. Avec un peu de
débrouillardise, j'élaborai donc avec brio la première
pseudo-poutine belge.

Edy eut le grand honneur d'être le goûteur privilégié de
cette innovation gastronomique. Il se délecta et en rede-
manda. Ravie, je ne me fis pas prier pour le servir une seconde fois. J'allais lui faire goûter autre chose, puisqu'il
aimait découvrir le Québec de la sorte. Il fallait lui permettre
de connaître aussi notre traditionnel pâté chinois, qui n'a
rien d'oriental, lui appris-je, à son grand étonnement. Je lui
racontai qu'en fait, le menu était typique de l'Amérique du
Nord et que son nom provenait, semble-t-il, de la petite ville
de China, dans l'État du Maine, aux États-Unis, où l'on y
préparait jadis le fameux pâté. Une légende raconte également qu'on servait ce consistant repas aux ouvriers chinois
travaillant à la construction des chemins de fer canadiens.

Comme le maïs en crème est aussi rare en Belgique que
le fromage à poutine, je dus, encore une fois, démontrer tout
mon savoir-faire pour approcher la version originale. Je fis
goûter mon plat à Edy dès le lendemain, au dîner. Il l'ap-
précia, à mon grand plaisir, autant que le mets précédent.

Dans l'après-midi, nous discutâmes à propos de son manuscrit.

— Ha! Ce bouquin sera génial! s'exclama-t-il.

Il en parla avec enthousiasme.

— Je l'intitulerai: *La mémoire des loups.*

Il s'imagina déjà faisant la promotion de son livre.

Il comptait user de son charisme pour capter l'attention du public et provoquer quelques remous médiatiques. Il allait prendre plaisir, en entrevue, à déstabiliser l'interviewer et faire scandale avec quelques déclarations acerbes sur l'humanité. Il adorait choquer les mœurs. Ébranler les convictions. Semer le doute dans les esprits. Il s'amuserait de voir les gens s'offusquer de son jugement impitoyable. On le traiterait de dément. Il ferait les manchettes. Et il réussirait, comme prévu, à causer l'agitation dans les consciences, et à vendre son livre à des milliers d'exemplaires!

Je songeai qu'Edy n'avait probablement jamais vécu dans la réalité. Je lui enviais toutefois la force de son tempérament, son audace, sa fantaisie et sa désinvolture. C'est d'ailleurs sans doute cet heureux mélange qui lui avait permis d'atteindre si rapidement le sommet de sa carrière en chanson. Il n'avait jamais connu que les limites de son imagination. Il avait ceci de déconcertant que tout lui semblait permis lorsqu'il décidait qu'il en serait ainsi. Ses réalisations passées confirmaient que la foi déplace les montagnes. Sa détermination séduisait à tout coup son entourage et les portes s'ouvraient devant lui, comme par enchantement, par la seule force de sa volonté.

Il envisagea une tournée de promotion au Québec.

— Tu imagines, entreprit-il de décrire, en se levant debout et en cadrant des mains la scène imaginaire, comme un réalisateur sur un plateau de tournage; j'arriverais sur les plaines d'Abraham. Une superbe musique, digne de celles des plus grands films hollywoodiens, envoûterait l'assistance. Puis, on apercevrait ma silhouette se dessinant sur la ligne d'horizon, dans les lueurs exaltantes d'un superbe coucher de soleil, escortée par douze magnifiques loups, marchant en procession autour du maître. La musique s'amplifierait, suivant mon approche. Je me dévoilerais comme le chef de meute devant une assistance bondée de journalistes, réunis pour la conférence de presse, tous impressionnés par l'étrangeté de la scène. L'effet serait grandiose!

Il rigola en imaginant le spectacle réussi.

— Ta Dam! Et vlan! Me voilà enfin, l'Amérique! ajouta-t-il sur un ton enflammé.

Je souris à l'écoute de ses fabulations. Son univers délirant me fascinait.

Hormis son enfance, il avait mené sa vie comme une immense pièce de théâtre. Seulement, sa grande comédie était devenue une tragédie.

Il y a de ces êtres qui ne savent vivre que dans les extrêmes.

Nostalgique d'une époque que je n'avais pourtant pas connue, je repensai à son triomphe d'autrefois. Puis, à sa misère actuelle. Cet effondrement me troublait. Pouvait-il renaître de ses cendres? Je me demandai si je devais considérer avoir un rôle à jouer dans sa possible résurrection.

Je désirais le voir heureux, et je me défendais bien d'être coupable de son malheur.

Présumant que mon amour recelait le pouvoir d'attiser ses braises, comment pouvais-je avoir l'ingratitude de le lui refuser?

J'imaginai tout le succès dont il était capable, fort de ma présence à ses côtés.

On ne pourrait, bien sûr, comprendre mon attachement pour un vieil homme désargenté et désabusé, mais on me pardonnerait volontiers, cependant, d'aimer ce même homme, fut-il disgracieux, pour autant qu'il soit illustre. La gloire — par bonheur ou malheur — justifie commodément l'amour d'une Belle pour une Bête.

Birkin et Gainsbourg.

Miche et Brel.

Sainte-Marie et Carle.

Qui d'autre encore?

Le talent, le génie, la célébrité excusent tout.

Pourquoi pas Loulou et Edy Albert? Comme tout autre couple légendaire.

Je le comblerais de mon amour, je serais sa muse; il serait heureux, guérirait de tous ses maux et deviendrait un écrivain notoire.

Le succès permet d'aimer sans justifier.

On me pardonnerait alors d'aimer la Bête au grand jour.

Je m'enlisai dans mes délibérations opportunistes.

J'eus honte, finalement, d'être à ce point à la merci des apparences et de ne me consentir le droit d'aimer qu'en regard du jugement des autres.

Je me décevais.

En fait, l'idée seule d'un avenir avec lui jetait un voile sur mes pensées; me satisferais-je d'un amour platonique? d'un rôle de soignante particulière? Je m'imaginais Edy, avec les ans, de plus en plus vieux, de plus en plus malade, en perte d'autonomie, et moi, de plus en plus affairée à devoir satisfaire ses moindres besoins d'hygiène quotidienne, incapable de m'absenter pour une heure, responsable d'alléger autant que possible ses souffrances.

L'idée de me voir enchaînée de la sorte m'effraya.

J'entrevoyais avec appréhension des lendemains austères faits de résignation, de dévouement et d'ascèse.

À mon jeune âge, connaissant mes irrépressibles ardeurs, ne me retrouverais-je pas, tôt ou tard, à la recherche désespérée de quelque passion, dans les draps brûlants d'un jeune amant?

J'eus peur de moi-même.

De ma nature de femme.

De toutes mes dimensions écartelées.

La Belle s'avérait plus monstrueuse que la Bête.

Chapitre 16

Treizième nuit.

Nuit de trêve ou d'affrontement.

Je n'en sais rien.

Pour le distraire de son angoisse perpétuelle ou par culpabilité, peut-être; par défi ou par pitié; par désœuvrement ou par obstination morbide; cette nuit-là, je tentai l'utopique accomplissement.

L'aberration fut ma seule découverte.

Je me dénudai au pied du lit, laissant choir ma chemise de nuit par terre et je m'avançai vers lui dans les lueurs glauques de la lune.

Confondu, il retint son souffle.

Il ne dut pas bien comprendre et se croire au milieu d'un rêve.

Dans le silence, je glissai mes doigts sur son torse nu et le caressai longuement. J'enjambai son corps allongé sur le matelas pour le chevaucher.

Ses mains effleurèrent ma peau avec émotion.

Il murmura que j'avais la beauté d'une déesse.

Comme si j'eus été un mirage sur le point de s'évanouir, il ne risqua tout à coup plus un geste.

— Je... je n'ose pas, murmura-t-il, troublé.

Je gardai silence.

Je le cajolai encore et guidai ses mains jusque sur ma poitrine qui se gonfla sous ses larges paumes.

D'abord hésitant, il prit de l'assurance, me retourna avec

tendresse sur l'oreiller et me caressa d'une main experte.

Il osa me donner du plaisir.

Et j'eus du plaisir.

Lorsque je voulus lui prodiguer les mêmes soins, cependant, il m'arrêta. Il ne me laissa pas le débarrasser de son sous-vêtement.

— Non... dit-il d'une voix étouffée, me serrant le poignet.

— Et pourquoi pas? murmurai-je.

— Je... je ne... bredouilla-t-il.

Je ne compris rien à cette soudaine timidité masculine.

Je transgressai son décret... et le minuscule attribut masculin que je dévoilai me saisit d'étonnement.

Qu'un amant soit vieux passe toujours... mais qu'il soit dépourvu de virilité est autre chose! L'organe s'avérait aussi petit que celui d'un enfant, à peine plus gros que mon pouce, et caractérisé par un phimosis congénital.

Je réprimai un sentiment de dégoût.

Son malaise immédiat entraîna le mien.

J'eus honte, tout à coup, de mes considérations dédaigneuses.

Humilié, il fut près de ramener les couvertures sur lui et de me tourner le dos à jamais, mais je l'interrompis avant qu'il n'entreprenne le mouvement. J'avais déjà fermé les yeux sur tant de choses, pourquoi pas sur celle-ci?

Quelle violence dus-je me faire pour venir à bout de mon entreprise désintéressée...

Il n'osa pas s'autoriser la jouissance. Je le priai de s'abandonner. Il délesta dans ma main.

Je me sentis comme une prostituée ayant achevé son ouvrage.

Tout cela me sembla terriblement malsain.

Je priai que personne n'en sache jamais rien.

Chapitre 17

Je le sentis distant avec moi, dès son lever.

Sa hargne se brandissait maintenant comme une armure.

Il ne me parla pas. Ne me proposa, ce matin-là, aucun café. Je m'en fis un moi-même et j'ouvris la radio en ramassant quelques vêtements.

J'entrepris de faire le lit.

Je t'oublierai, je t'oublierai [...] / Que tout autour de moi/ se souvienne de toi / je t'oublierai, je t'oublierai, chantait la voix féminine.

Je montai le volume de l'appareil et fredonnai en replaçant les oreillers.

— Qu'elle ferme donc sa gueule, marmonna Edy, on a compris; on le sait trop bien qu'elle l'oubliera! Pas besoin de le répéter sans cesse...

La chanson s'acheva.

J'éteignis la radio et j'allai m'asseoir à ses pieds, en le fixant dans les yeux, sans rien dire.

— Ben quoi? Qu'est-ce qu'il y a? dit-il, irrité.

Je pris le taureau par les cornes:

— Quelque chose sur le cœur, peut-être?

— Ben non, mais quoi... elle est énervante, à la fin...

J'en avais marre, maintenant, de tous nos secrets de polichinelle.

— Et moi? demandai-je.

— Et toi, quoi?

— Moi, je suis énervante, aussi?

— C'est pas le mot.

— Et c'est quoi, au juste, *le mot*?

— Emmerdeuse.

— Merci...

— De rien.

J'en fus vexée.

— Qu'est-ce que j'aurais aimé ne t'avoir jamais connue... murmura-t-il en se levant.

Il se rendit jusqu'à son blouson, accroché à la patère.

— Désolée de n'être que moi-même, lui dis-je, fort consciente de ne pas correspondre davantage à ses mystifications
que lui aux miennes.

Il fouilla dans les poches du blouson et en ressortit un
paquet de cigarettes.

— Tu sais, ajouta-t-il l'air songeur, je pense au loup de
mon roman...

Il alluma une cigarette, machinalement, comme s'il
n'avait jamais eu l'idée de cesser de fumer.

Je ne songeai même pas à le gronder.

— Et puis, reprit-il, je me demande s'il ne finira pas par
la bouffer, la fille.

Il soutint mon regard, mesurant en moi les effets de son
discours.

Cela ne me sembla pas très rassurant...

J'hésitai avant de répondre:

— Il la laissera reprendre sa route, ce sera plus simple...
ça lui évitera les remords d'un crime odieux.

— Quel crime? et quels remords? s'insurgea-t-il en levant le ton. Les loups ne commettent pas de crime. Ils ne
connaissent que l'instinct. L'instinct de survie!

Je me tus, trop consciente que la moindre de mes paroles
jetterait de l'huile sur le feu.

Il retourna s'asseoir, puis ajouta:

— Et puis, qu'est-ce que c'est que ça, un *remords*?

Je le sentis s'énerver. Je redoutais ces moments-là.

Il poursuivit:

— J't'ai déjà raconté que j'ai braqué un flingue sur les tempes de mon paternel? Ce con-là, je l'aurais tué que ça m'aurait pas dérangé... Pourquoi donc avoir des remords? Penses-tu qu'un loup, après avoir tué, éprouve un regret quelconque?

J'eus un frisson d'horreur.

Peut-être que, nonobstant tout ce qu'il avait bien voulu me faire croire à propos des grands méchants loups des contes de fées, il était dans ses coutumes de séduire les ingénues pour mieux les dévorer ensuite. Je ressentis une panique intumescente à l'idée de cette innocence qui me définissait malgré moi.

— On est trop différents, toi et moi... réfléchit-il tout haut, en exhalant la fumée de sa cigarette.

Il me regarda, flegmatique, avant d'ajouter avec mépris:

— On n'est pas de la même espèce tous les deux. Je me suis leurré; ça pourrait pas marcher... tu pourrais même pas sortir avec moi, dans la rue, t'es trop précieuse.

Je m'offusquai.

— Ne fais pas cet air-là, me reprocha-t-il tout bas, tu sais bien que t'aurais honte de ma présence à tes côtés.

— Comment peux-tu me croire aussi superficielle! Honte? Quand même! éclatai-je. Est-ce que je ne t'ai pas tenu la main en public, à l'hôpital et même au centre commercial? Tu vois bien que...

— Parlons-en, si tu veux, ma belle, m'interrompit-il en s'enflammant. Si tu l'as fait, c'est qu'il n'y a ici, pour toi, que des regards étrangers. Tu n'aurais jamais posé un tel geste si nous avions été dans ta ville; tu aurais trop craint qu'un regard familier te surprenne ta main dans la mienne!

Je restai bouche bée, la lèvre entrouverte, de l'eau dans les yeux.

Il me regarda, impassible, suspendant son verdict.

Je ne pouvais rien dire.

Il avait horriblement raison.

— On ne peut pas aimer quelqu'un dont on a honte, trancha-t-il.

Il se leva, sans ajouter autre chose, enfila son manteau, sortit de l'appartement et me laissa seule pour plusieurs heures.

Chapitre 18

Mon séjour s'achevait.

Je m'ennuyais considérablement du Québec — et pour cause — quoique l'Europe continua d'exercer sur moi, je ne sais pourquoi, une étrange fascination.

J'aurais voulu me rendre à Paris; nous étions si proches. Voir de mes yeux la Ville lumière. Admirer la Grande Arche, les Champs-Élysées, le quartier Montparnasse, l'incontournable tour Eiffel. Me balader librement dans les jardins du Luxembourg. J'aurais voulu faire des derniers jours de mon voyage une randonnée touristique. Justifier, en quelque sorte, mon excursion outre-mer ou économiser, simplement, quelques souvenirs dans ma mémoire, autres que ceux se rapportant à la tristesse inouïe du plat pays.

Mais Edy n'avait pas l'esprit à ces choses-là. Il n'avait nulle envie de devoir supporter mon excitation dans la grande ville et mon émerveillement juvénile devant les chefs-d'œuvre européens de ce monde, lui qui, péniblement, faisait son deuil des merveilles de l'Amérique.

Et puis, j'aurais voulu, bien sûr, me rendre au cimetière du Père-Lachaise, vérifier, tiens, que Musset était bien mort; lui dire moi-même, en secret, combien il avait eu tort de croire que le flacon importait peu. L'allure et l'état de la fiole changeaient tout, j'en savais quelque chose maintenant. Ils avaient le pouvoir de gâter l'attrait de n'importe quel parfum, aussi enivrant soit-il les yeux fermés.

Je me serais recueillie sur les tombeaux de Balzac, de

Chopin, d'Anna de Noailles, et de tous ces autres encore, qui avaient marqué l'ère romantique dont je m'étais tant imprégnée. Cependant, Edy avait-il envie de visiter un cimetière, aussi notoire qu'il puisse être, et de souffrir la lyrique poésie qui en émane? Avait-il envie de passer devant le tombeau d'Héloïse et Abélard, les deux amoureux mortifiés, comptant parmi les plus célèbres de la terre, réunis à tout jamais dans la mort, pour l'éternité?

Un fer rouge, tournant dans la plaie d'un idéal moribond.

Nous ne traversâmes pas les frontières du pays.

Je n'insistai pas pour ce faire.

Cet après-midi-là — le dernier que nous devions passer ensemble — il m'amena, en guise de consolation sans doute, à Waterloo, pour faire une promenade.

Il faisait froid et humide, comme toujours.

Nous nous baladâmes en frissonnant. Il bottait distraitement les cailloux, baguenaudant, à quelques pas de distance derrière moi. J'essayais de l'attendre, mais le vent frisquet m'incitait à bouger, à accélérer le pas.

J'arrivai plus vite que lui au pied de la Butte du Lion. L'effondrement d'un côté du monticule empêchait de gravir l'impressionnant escalier qui mène au sommet. Un écriteau, suspendu à des chaînes, indiquait le danger imminent et en interdisait l'accès.

— Ce n'est pas très grave, dit Edy, de toute manière, je n'aurais pas eu le souffle nécessaire pour le gravir; j'aurais dû me contenter de t'attendre en bas.

Un sourire hérissé en coin, il ajouta:

— Là, au moins, c'est juste; on en est privés tous les deux.

Je fis la moue.

Nous marchâmes tranquillement autour du mamelon. Il me raconta, avec moult détails, la défaite napoléonienne.

Je l'écoutai avec attention.

Il récita, avec brio, de façon théâtrale — faisant sourire deux touristes assis non loin de nous — quelques vers du célèbre poème de Victor Hugo, *L'expiation*: *Comprenant qu'ils allaient mourir dans cette fête / Saluèrent leur dieu, debout dans la tempête. / Leur bouche, d'un seul cri, dit: Vive l'empereur! / Puis, à pas lents, musique en tête, sans fureur, / tranquille, souriant à la mitraille anglaise, / la garde impériale entra dans la fournaise.*

Le stoïcisme des héros, et le talent avec lequel Edy fit revivre ce moment historique, grâce aux mots du poète, réussirent à m'émouvoir.

Je sentais les lieux habités par la légende.

Ici même, Napoléon avait foulé le sol, presque deux cents ans plus tôt, et, avec ses vaillants soldats, avait essuyé un terrible revers en affrontant les troupes anglaises et les forces coalisées de l'Europe continentale.

Edy me relata, en plaisantant, l'origine du *mot de Cambronne*. Le courageux guerrier avait riposté avec orgueil au général anglais, qui réclamait leur reddition: «La garde meurt, mais ne se rend pas!» À l'artillerie rivale qui revenait à la charge, il réitéra la fermeté de sa position. Et ses vaillants soldats, exacerbés par le combat coriace, de scander avec lui le slogan improvisé. Cambronne fit passer à l'histoire l'héroïque défaite avec son désormais célèbre «Merde!» qu'il lança en dernier recours à l'adversaire alors que sa troupe combattit l'ennemi jusqu'au dernier souffle.

Il me fit sourire.

Il devint ensuite pensif.

Joua rêveusement avec un petit bout de bois trouvé par terre.

Je l'observai.

— Parfois, philosopha-t-il avec un certain trouble dans la voix, il faut savoir dire *merde*, même si ça prend tout notre courage pour le faire...

Chapitre 19

Lorsque le cadran sonna, ce matin-là, Edy ne se leva pas pour écrire. Et moi, je ne fis pas la grasse matinée.

Nous prîmes un café, en silence.

Je ramassai ce qui traînait sur la table et ensuite, tous mes effets personnels.

Je débarrassai la salle de bain de mes produits de beauté, étalés sur la petite tablette de verre fixée sous le miroir de la pharmacie murale. Je repris un chandail séchant à plat au-dessus de la baignoire, décrochai ma robe de chambre, pendue derrière la porte et récupérai quelques dernières affaires, terminant ainsi de reconstituer mes bagages pour mon retour au Québec.

Je déposai les valises remplies près de la porte d'entrée.

Edy fuma sa cigarette, calé dans son fauteuil.

Il m'observa, impassible.

Un peu intimidée par son regard soutenu, j'entrepris de faire le lit. Je replaçai minutieusement les couvertures et les oreillers en prenant bien soin de ne laisser aucun pli disgracieux. Je voulais qu'il soit parfait, comme dans les magazines de décoration, où tout est si impeccable qu'on jurerait que personne n'a jamais vécu dans la pièce.

Edy critiqua ma trop grande application.

— Pourquoi te donnes-tu tout ce mal? me reprocha-t-il en laissant s'échapper la fumée tourbillonnante de sa cigarette. Le lit, ici, n'a jamais été fait. Alors, si tu tentes d'effacer les traces de ton passage, tu t'y prends mal...

Je me morfondis avant de répliquer:

— Ne rends pas mon départ plus difficile qu'il ne l'est, je t'en prie...

Il pouffa:

— Arrête. On se croirait dans un mauvais film...

Son attitude me blessa. Je me sentais le cœur gonflé de chagrin. Sa froideur me pétrifiait.

— Je ne vais quand même pas quitter les lieux en laissant tout à l'envers, alléguai-je. Ce serait contre toute bonne manière.

Hésitante, je n'attendis toutefois pas sa réaction et je sortis l'aspirateur pour le passer dans toute la pièce. Je commençai ensuite à faire la vaisselle et me risquai à lui demander s'il ne viendrait pas m'aider à l'essuyer.

— Je n'en ai pas envie, gronda-t-il.

Il alluma une autre cigarette. Se leva. Alla voir à la fenêtre. Tira les rideaux que j'avais ouverts à mon réveil et vint se rasseoir dans son fauteuil.

Un long silence s'abattit dans la pièce.

Il devint songeur.

— J'aimerais bien, murmura-t-il, que tu laisses un peu plus de vaisselle sur le comptoir, et un peu moins de vide dans ma vie, après ton départ.

Je fus attristée par cette déclaration et je ne sus pas tout de suite comment réagir.

Il continua de boucaner en silence, le regard fixe et profond, affûté comme un loup.

Avec le linge à vaisselle, j'essuyai la mousse de savon sur mes mains et j'allai m'accroupir à ses pieds.

— Ne... ne dis pas ça, commençai-je à balbutier.

Il détourna la tête.

— Je reviendrai te voir... peut-être l'été prochain?

ajoutai-je spontanément, me surprenant moi-même d'avancer une telle chose sans m'être consultée d'abord.

— Te fous pas d'ma gueule, tu veux? me rabroua-t-il en se levant brusquement.

Au même instant, le téléphone sonna.

Il se dirigea vers l'appareil pour répondre, tandis que je retournais derrière le comptoir de cuisine.

Je sentais qu'il valait mieux ne pas poursuivre cette conversation.

Il décrocha:

— Allô?... oui, lui-même... oui... ah bon, et puis?... d'accord... tant mieux... merci... Oui, j'imagine... oui, la semaine prochaine... évidemment... oui, je suppose... D'accord... merci.

Il déposa le combiné sur son socle.

— C'était la clinique, annonça-t-il, ils ont reçu les résultats des prises de sang. Ils n'ont rien trouvé d'anormal, ajouta-t-il d'un air embarrassé.

— Bon, tu vois! m'exclamai-je, rassurée. Tu t'inquiètes pour rien! Tu dois avoir une petite infection virale, peut-être, quelque chose de si minime qu'on ne le détecte même pas avec des prélèvements sanguins... quelque chose qui disparaîtra tout seul aussi simplement que c'est venu.

— Ouais... c'est ça, répondit Edy sans avoir l'air convaincu, enfonçant les mains dans les poches de son pantalon.

Je l'entendis marmonner quelque chose d'à peine audible à propos de «pensée magique». J'en saisis suffisamment le sens pour ne pas oser lui demander de répéter sa réflexion.

J'avais peu envie d'approfondir le sujet.

Il jeta un œil à l'horloge et retourna à son fauteuil. Je pensai alors à regarder l'heure à mon tour et je m'affolai lorsque je constatai que le temps s'était si vite écoulé.

— Mon Dieu! Vite! Tu as vu l'heure? Il ne faut pas que je sois en retard à l'aéroport! Dépêchons-nous! Il faut partir!

Sur ce, j'allai chercher ma veste, tandis qu'Edy se leva sans se presser et sans rien dire.

Ce fut un autre de ces silences désespérants qui nous accompagna sur la route menant à Zaventem. Je sentais que tout ce que j'aurais pu dire risquait d'être retenu contre moi. Alors, je me contentai de contempler, pour une dernière fois, le paysage qui défilait sous mes yeux.

Nous arrivâmes à l'aéroport avec de l'avance. Je m'étais énervée pour rien, d'autant plus que nous apprîmes que les vols avaient été retardés. La nouvelle me désola; j'avais si hâte de retourner au Québec!

Edy sembla vexé de mon désappointement.

Il était anxieux. Il grouillait son porte-clés et la petite monnaie au fond de ses poches. Il dissipait son regard à gauche et à droite.

J'aperçus une petite boutique offrant des souvenirs et, puisque nous avions encore du temps, je manifestai l'envie de m'y rendre afin de m'en procurer quelques-uns pour moi-même et mes proches. Edy ne protesta pas, mais je sentis qu'il considéra mon intention avec dérision. Le souvenir: banal symbole touristique. Sans doute que, dans les circonstances, l'idée de rapporter un objet de Belgique lui parut stupide, voire en quelque sorte offensant pour lui-même. Allais-je seulement garder un souvenir de lui, après mon départ? Je sentis une telle tristesse dans son attitude que je ne doutai pas un seul instant de sa pensée. Mais je feignis de ne rien déceler. Allait-il, lui, conserver un souvenir de moi? Et lequel?

Troublée, j'explorai les tablettes du petit magasin à la recherche d'un coup de cœur. Je dissimulai mon malaise en lui présentant avec un enthousiasme mensonger de nombreux objets que je trouvais jolis.

— Celui-là, pour ma mère... ou peut-être qu'elle préférerait cela? Celui-là, en tout cas, pour moi! Et puis, ça pour... et puis tiens! Quatre de celui-ci, de différentes couleurs, pour chacune de mes filles! Qu'en penses-tu, Edy?

Il se contenta de grogner.

Je continuai de l'accabler de questionnements futiles. Le visage rouge, il explosa:

— Tu fais CE-QUE-TU-VEUX, O.K.? CE-QUE-TU-VEUX!

Il passa l'envers de sa main sur son menton, essuyant un filet de salive dégoulinante.

La caissière de la boutique nous dévisagea.

Embarrassé, il fourra de nouveau la main dans son pantalon, s'éloigna et sortit de l'endroit pour m'attendre sur un banc dans l'allée.

Je restai figée sur place, complètement ahurie.

Mon cœur battait à tout rompre.

Je commençai à croire que je sous-estimais le drame que représentait pour lui mon départ.

Je payai les objets que j'avais choisis et pris soin de les ranger dans mon sac à main avant de rejoindre Edy, assis sur le banc, qui se releva aussitôt qu'il m'aperçut.

Encore ébranlée par la brutalité de sa réaction, je restai presque aphasique lorsque nous marchâmes vers les sièges de l'aire d'attente.

Les indications sur écrans maintenaient que les départs étaient retardés pour un temps indéterminé. Edy semblait d'autant plus nerveux qu'il laissait transparaître, malgré lui, son désir de voir mon vol annulé.

Mais qu'aurait-on fait de ce sursis? Une journée, une

seule journée ou une nuit de plus avec moi lui aurait-elle suffi? Qu'est-ce que les heures intérimaires pouvaient bien changer à notre histoire maintenant? Il ne restait déjà plus de nous deux que des ruines.

Nous nous assîmes dans l'une des longues rangées de sièges bleus, attendant fiévreusement le verdict des écrans. Edy se tourmentait. Je me sentis le devoir d'apaiser ses inquiétudes et je glissai doucement ma main dans la sienne. Il la pressa des doigts et me dévoila un regard éploré. Ce départ, qui me réjouissait d'emblée, devenait pénible. Je me sentais blâmable de m'égayer à l'idée du retour, alors qu'Edy le percevait quant à lui comme une forme d'abandon.

Une voix retentissante annonça que les vols reprenaient. Les écrans mis à jour confirmèrent à Edy ce qu'il espérait avoir mal entendu.

Je dus me diriger vers la douane.

Il m'escorta.

Avant de franchir l'arche de la porte, il s'arrêta, les mains toujours dans les poches, levant vers moi un regard épouvanté. Je crispai les lèvres et retins mes émotions confuses en m'approchant de lui pour le prendre dans mes bras et lui baiser chastement les joues.

Il me regarda partir, silencieux, discret.

De l'autre côté de la porte vitrée, je l'aperçus qui restait là, sans bouger, et j'en fus affligée.

Le rappel se faisant entendre, je fus contrainte de ne pas m'attarder et nous nous perdîmes de vue.

Chapitre 20

Au moment où l'avion s'éleva dans les airs, j'éprouvai une curieuse nostalgie.

Je me hissais maintenant au-dessus de mes désillusions.

À travers les nuages, je survolais la terre désenchantée.

Je m'effaçais progressivement dans le ciel, loin de la vue du faux prince toujours aussi prisonnier de son mauvais sort.

Je l'imaginais, en bas, comme un infime point microscopique, sur le vaste terrain de l'aéroport, observant le sinistre firmament qui engloutissait ses derniers espoirs.

Rien ne serait jamais plus pareil.

Nous allions sans doute nous dissoudre, l'un et l'autre, chacun sur notre propre continent, comme si rien de tout ça n'avait été.

Reprendre notre vie respective là où nous l'avions laissée.

Qu'aurions-nous à nous dire, maintenant, par le biais de lettres?

Que des mots dérisoires.

Il ne pouvait rien subsister de cette relation.

Pas même une simple amitié.

Elle n'aurait fait que ramener à notre mémoire les vestiges très altérés d'une passion jadis bien vive et bien naïve.

Moi qui avais tant espéré l'heure de mon départ, je soupirais maintenant d'ennui à l'idée de ce triste retour à la platitude de mon quotidien.

J'imaginais qu'Edy, de son côté, chercherait à recouvrer

sa nuit, à se réfugier en elle, sous la présence de l'astre froid. Je l'entendais déjà hurler, comme un loup, la tristesse inouïe qui le transperçait.

Chapitre 21

Lorsque j'arrivai enfin chez moi, je laissai tomber mes bagages au sol et je m'effondrai sur le matelas, épuisée par le long voyage.

J'étais amorphe et je me demandais avec découragement comment reprendre le cours de ma destinée à la suite d'un pareil sevrage d'idéaux amoureux.

Des centaines d'images et autant de sentiments confus m'envahissaient.

J'étais enfin sortie du ventre du loup.

Je repensai à mon voyage en me disant qu'il n'était qu'une parenthèse désespérante dans le roman de ma vie dénuée de passion.

Me faudrait-il inventer une autre histoire pour survivre à la banalité de mon quotidien? La magie romanesque opérerait-elle encore? Devrais-je vivre toujours de fiction en fiction et me raccrocher constamment ainsi à des semblants de bonheur?

Je sentais le poids de mes déboires, si lourd à supporter, que je ne voyais pas de moyen autre de l'alléger qu'en ouvrant une bouteille de bordeaux.

Je m'assis dans mon fauteuil, une coupe à la main, tout près de la fenêtre dont j'entrouvris le rideau.

Le ciel était gris.

L'eau ruisselait sur la vitre.

Une atmosphère de Belgique, pensai-je avec ironie.

Elle s'acharnait, l'infâme, en m'escortant jusque chez moi.

Du haut de mon premier étage, dans la vitre embuée, je voyais le stationnement arrière. Un jeune couple se précipitait sous la pluie qui se transformait, peu à peu, en neige fondante. Ils échangèrent un bref baiser avant d'entrer dans une voiture et de quitter l'endroit.

L'amour se dérobait sous mes yeux. Comme toujours.

Je soupirai encore.

Je bus une autre gorgée.

Puis, le fond de ma coupe. Cul sec.

Je me versai un autre verre de ce précieux alcool dont la robe écarlate, frangée de violine, évoquait les passions que je n'avais pas connues.

Je m'enivrai autant que j'aurais aimé pouvoir l'être par l'amour lui-même.

Je ne me réveillai qu'au lendemain matin, avec un abominable mal de tête.

Je m'étais assoupie sur le divan.

Je me regardai dans le miroir pour constater à quel point j'avais la tronche d'un monstre plutôt que celle d'une Belle.

Je grimaçai.

Il me fallait voir, dorénavant, avec un regard plus réaliste, maintenant que j'étais revenue de mes fantaisies naïves.

Je me fis un café.

La première gorgée me rappela le goût de celui que préparait Edy.

J'ouvris mon ordinateur pour prendre mes messages.

Parmi les nombreux en-têtes de courriels qui s'affichèrent à l'écran, je remarquai que l'un d'eux provenait de lui.

J'éprouvai une lassitude mêlée de curiosité.

Le titre de la missive se résumait à trois petits points de suspension.

J'eus une seconde d'embarras avant d'ouvrir la fenêtre du courriel.

Le texte était relativement long.

Il me confiait qu'il était resté à l'aéroport jusqu'à ce que mon avion s'élève dans le ciel, et même longtemps après, espérant vainement qu'il fasse demi-tour. Il me raconta que, lorsqu'il se résigna à sa disparition dans les limbes célestes, il retourna abasourdi dans les vastes stationnements, à la recherche de l'emplacement où devait se trouver sa voiture qu'il n'aperçut pas. Il me relata comment il arpenta une à une les innombrables allées de véhicules, et chacun des étages du *parking* de béton, incapable de se souvenir de l'endroit où il l'avait garée. Il affirma s'être senti très confus et avoir souffert du froid et de l'humidité. Ce n'était, semble-t-il, que de nombreuses heures plus tard que des agents de sécurité étaient venus à sa rencontre, alertés par des gens inquiets qui l'avaient remarqué, assis sur le rebord d'une rampe de ciment, dans une attitude schizophrénique. Les hommes en uniforme l'avaient patiemment interrogé et avaient sommé une équipe de patrouilleurs de prospecter le territoire aéroportuaire à la recherche de son véhicule. En désespoir de cause, il s'apprêtait à signer une déposition pour vol de voiture lorsqu'on la localisa enfin, tout près de la porte par laquelle nous étions entrés.

Je m'appuyai lourdement sur le dossier de ma chaise.

J'observai l'écran avec recul.

Mon mal de tête reprenait de plus belle.

Néanmoins, j'aurais tout de même troqué volontiers ma tasse de café contre une autre bouteille de vin rouge, même en plein cœur de matinée.

Était-ce une confession désespérée ou une sournoise tentative pour m'affliger et me ramener vers lui?

Que devais-je penser de cette lettre?

J'en fis une relecture attentive. Espérant déceler quelque indice de mauvaise foi entre les lignes.

Mais rien.

Je ne découvris rien.

J'avalai une gorgée de café avant de tourner la situation à l'autodérision; comment pouvais-je seulement prétendre, moi, posséder suffisamment de perspicacité pour démêler le vrai du faux? Pour distinguer la réalité de mes fabulations?

Après une fort longue hésitation, je me contentai de répondre à son message par deux ou trois phrases succinctes confirmant mon retour au Québec dans les meilleures conditions.

Je m'occupai, les jours qui suivirent, à retrouver les membres de ma famille et à distribuer à tout un chacun les souvenirs que j'avais achetés à la fin de mon voyage.

Je répondis, avec un peu d'embarras, à certaines questions qui s'avérèrent plus ou moins indiscrètes, mais je réussis tout de même à contourner les obstacles et à résumer mon séjour en des termes essentiellement touristiques.

Je n'avais pas envie de relater la déveine de mon voyage.

Pas envie d'admettre mon revers, d'exposer mes naïvetés, de montrer à tous ma blessure encore vive.

J'avais mon orgueil et je voulais préserver mon image de femme lucide et réfléchie.

Je savais bien que ce n'était pas le cas, que je n'étais, en fait, qu'une misérable étourdie. Mais je continuais de vivre dans la fabulation.

J'excellais encore dans cette voie momentanément salutaire.

Ma plus grande joie fut de retrouver mes quatre filles desquelles je m'étais beaucoup ennuyée pendant cette interminable quinzaine en Europe. Leurs petites frimousses roses, éclatantes de fraîcheur, leurs yeux pétillants et leur excitation commune déposèrent un baume sur mon cœur endolori. Elles s'accaparèrent des cadeaux que je leur avais rapportés et ne posèrent aucune question sur mon excursion outre-Atlantique, trop jeunes encore pour saisir les folles aspirations qui m'avaient conduite à m'absenter deux longues semaines. Leur seul intérêt se limitait naturellement à mon retour et je leur en savais gré.

Je dormis, cette nuit-là, dans la maison familiale. Mon ex-mari me cédait la place afin que j'y passe le week-end avec les enfants. Il devait dormir chez un ami ou quelque part ailleurs et ne revenir que le dimanche en soirée vers l'heure prévue de mon départ. La résidence n'avait pas encore été vendue. Il ne restait, en fait, que les papiers à signer chez le notaire avant de nous séparer officiellement et de décider enfin des arrangements concernant la garde des enfants.

C'était une étrange impression que de me retrouver dans cet endroit habituel, comme avant mon envol pour l'utopie. Les lieux me donnaient l'impression que cette sombre mésaventure n'avait jamais eu lieu, comme si le temps avait fait faux bond. Malgré cela, je savais bien que la vie ne pouvait pas reprendre son cours normal. Je ne voulais pas d'un retour à la vie conjugale. Je redoutais ce que l'avenir me réservait à la suite de ce triste intermède.

Alors que la nuit était déjà bien installée et que je dormais paisiblement en savourant mon retour dans des lieux qui m'étaient familiers, j'entendis un craquement dans la chambre. Mon état de somnolence me garda toutefois dans un engourdissement tel que toute réaction volontaire se trouva annihilée. Les quelques mouvements habituels que je perçus sous les couvertures m'apaisèrent et les profondeurs du sommeil me regagnèrent aussitôt. Elles m'auraient sans doute portée jusqu'au matin s'il n'eût été de quelques frôlements suspects qui me firent soupçonner d'abord la présence d'un incube glissé sous les draps. Mais la silhouette qui se profila dans l'ombre s'avéra sans mystère particulier; l'amant venu me rejoindre inopinément était le plus ordinaire qui soit. Mes instincts depuis trop longtemps négligés ne résistèrent nullement à l'attribut viril qui se pressa avec insistance contre ma cuisse et, après quelques ébats charnels haletants, le rituel se termina selon l'usage par une lampe de chevet allumée et une boîte de mouchoirs évidée.

Adieu poésie, chimère sentimentaliste.

Je repensai tristement à Edy, avant de me rendormir.

La Belle était une pute.

Chapitre 22

Ce n'est que le surlendemain que je reçus un courriel d'Edy.

Nous échangeâmes de nouveau quelques messages, dont l'un où il me parla de sa solitude, plus difficile que jamais à supporter. Il discourut à propos des nouvelles épreuves médicales qu'il allait devoir subir, dont la bronchoscopie différée.

Je ne sais trop comment ni pourquoi, nos communications empruntèrent une mauvaise pente et le dernier courriel que je lui fis parvenir fut plutôt acerbe. Je tranchai, de manière cinglante, que le pire cancer qui ne l'ait jamais rongé était son refus d'accepter la tendresse. Il me répliqua froidement de ne plus tenter de lui écrire. Il estimait ne pas avoir besoin de mon venin pour l'achever.

La Belle, odieuse, répandait son poison.

Je tentai, dans les jours qui suivirent, de réintégrer mes activités quotidiennes, de reprendre le cours de ma vie, là où je l'avais laissée. J'y arrivais plus ou moins bien. Un rien ramenait Edy à ma mémoire. J'étais lunatique presque à longueur de journée. Je soupirais sans cesse.

Chaque soir, je m'asseyais devant l'écran de mon ordinateur. Cependant, ma boîte de courriels restait désespérément vide de sa présence. Je n'osais évidemment pas lui écrire de nouveau.

Toutefois, la semaine suivante, je reçus un message de sa part où, d'une seule phrase très lyrique, il me confiait la tristesse inouïe qui le transperçait et faisait sans aucun doute de lui l'homme le plus malheureux du monde.

Je n'osai pas répondre à ce courriel, toujours aussi tourmentée que j'étais à tenter de discerner la sincérité de la ruse.

Par ailleurs, malgré toutes les précautions que je pouvais prendre pour m'adresser à lui, je ne savais plus si je devais mentir pour calmer ses souffrances ou dire la vérité pour décourager tous ses espoirs.

Comment agir avec lui? L'honnêteté valait-elle que je lui sacrifie toute compassion? À chaque mot que je lui adressais, je nageais entre deux eaux, je ne savais jamais si j'allais lui faire plus de mal que de bien.

Le mensonge comme la franchise apparaissaient, autant l'un que l'autre, de véritables assassins. Pouvait-il en être autrement de mon silence?

J'aurais voulu tout effacer de cette mésaventure.

Chapitre 23

Quelques jours plus tard me parvint de Belgique un message qui me laissa perplexe.

Un homme, se présentant comme le neveu de Ruben Vanderkeelen, m'informa que ce dernier avait dû être hospitalisé d'urgence. Il se trouvait, selon ses dires, aux soins intensifs de l'hôpital Saint-Luc de Bruxelles depuis qu'on lui avait diagnostiqué un cancer des poumons déjà très avancé. Mon correspondant m'apprit que son oncle lui avait confié les clés de son appartement en lui indiquant comment repérer mon adresse électronique dans son ordinateur et en lui prescrivant de m'écrire pour m'aviser de son état dégénérescent.

Je fus déconcertée.

La chose m'apparaissait équivoque; à la fois aussi envisageable qu'improbable.

Je n'osai rien répondre et me torturai pendant longtemps, m'accusant tantôt d'être trop naïve, tantôt trop incrédule.

Je ne me résolus que deux ou trois jours plus tard à demander d'être tenue informée de son état de santé et de son moral.

Je supportai une longue semaine, pendant laquelle je passai par tous les doutes et toutes les certitudes, sans obtenir aucune nouvelle de lui et sans oser en solliciter non plus.

Je ne voyais plus la fin de mon cauchemar.

Comment aurais-je pu tourner enfin la page sur cette histoire, le sachant agonisant à des milliers de kilomètres de distance?

Alors que je m'étais enfin décidée à réclamer des renseignements, je reçus une deuxième dépêche, laquelle m'informait du transfert d'Edy vers l'unité des soins palliatifs de l'hôpital. Il fallait, selon toute vraisemblance, compter maintenant les jours à rebours. On m'apprit qu'il recevait, sur une base régulière, de fortes doses de morphine, qu'il maigrissait à vue d'œil, que sa voix avait étrangement mué et que son corps s'était recouvert, de manière fulgurante, de nombreuses métastases.

On me présenta l'occasion de lui transmettre un dernier message avant qu'il ne sombre à jamais dans l'autre dimension.

Je restai interdite.

Je ne savais plus si je devais croire ou non en sa mort imminente.

Je soupçonnais toujours un subterfuge pour m'attirer astucieusement de nouveau vers lui ou, tout au contraire, pour mettre un point final à notre relation.

Il avait toujours été insaisissable; je ne savais jamais si, par ses attitudes énigmatiques, il cherchait à me ramener vers lui ou à m'éloigner. Comme chacune de ses barrières s'était toujours présentée comme une invitation à la transgression, je conclus qu'il s'agissait là sans doute d'un défi ultime auquel il me soumettait.

En supputant que, si je l'eusse aimé vraiment, j'allais me précipiter à son chevet et, dans le cas contraire, je resterais impassiblement au Québec, il devait chercher à obtenir la preuve ou le désaveu de mon amour. Dans cette dernière éventualité, il devait considérer que je méritais de croire en sa mort. Mon démenti amoureux me vaudrait d'être maintenue dans un silence irrévocable.

Son abominable serment résonna dans ma tête: «Je te

ferai subir le silence le plus total; tu me le diras, alors, si notre histoire était si virtuelle que ça...»

Je baissai la tête.

Je me reprochai de lui attribuer une telle imposture, alors qu'il était peut-être réellement sur son lit de mort.

Il avait été si malade, sous mes yeux, comment pouvais-je en douter?

J'aurais dû, je suppose, me hâter de téléphoner aux Cliniques Saint-Luc. Tenter d'obtenir le numéro de sa chambre et lui adresser quelques paroles rassurantes au bout du fil. Mon cauchemar se serait alors vu confirmé, mais, réalisant l'authenticité des faits, qu'aurais-je bien pu lui dire? J'aurais été si affligée par sa condition que je n'aurais assurément balbutié que des inepties.

Après quelques jours de consternation, je choisis la voie de l'écriture pour lui adresser quelques mots. Je pesai le poids de chacun d'eux, ne pouvant m'empêcher de craindre simultanément, avec autant d'appréhension, la vérité et le guet-apens. Je pleurai à chaudes larmes en lui confiant mon affection persistante et ma faiblesse devant le malheur.

Je le détestai de remettre ainsi, en quelque sorte, sa vie entre mes mains.

J'imaginai que, me précipitant à son chevet et pleurant toutes les larmes de mon corps pour le supplier de ne pas mourir, la puissance de mon amour saurait lui rendre ses forces et le guérir aussi miraculeusement qu'il avait vaincu sa leucémie. Je l'imaginai par ailleurs agonisant, dans l'insoutenable attente d'une quelconque manifestation de ma part. À l'autre bout du monde, isolé dans un mouroir, dans la froideur d'un lit d'hôpital, ayant pour seuls visiteurs un neveu commissionnaire et une fille unique, combien de temps tiendrait-il avant de réaliser que je ne traverserais pas de nouveau l'océan pour lui?

J'eus pris l'avion, sur-le-champ, si j'avais eu les ressources nécessaires. Mais désespérément fauchée, je ne pouvais que souffrir en silence, dans le doute et en toute impuissance, loin de lui.

J'espérai qu'il fut assez fourbe pour avoir inventé de toutes pièces cette machination.

Chapitre 24

Une enveloppe, que j'avais postée dès mon retour, demeura longtemps sur sa table de chevet sans que personne ne l'ouvre, selon ce qu'on me rapporta.

L'infirmière proposa, paraît-il, de l'ouvrir pour lui, mais il vociféra de n'en rien faire. Quiconque parla de l'envoi et de son prétendu contenu se fit rabrouer sur-le-champ. En fait, l'enveloppe ne contenait rien d'autre que des doubles de photos que j'avais prises pendant le voyage, mais il craignait sans doute qu'elle ne contienne quelques dernières phrases désobligeantes.

On lui fit toutefois lecture du courriel que j'avais écrit à son intention, mais on ne put me confirmer avec certitude qu'il eut connaissance de la teneur de mes propos. Il avait depuis peu, m'apprit-on, sombré dans un état d'inconscience dont il ne devait pas revenir.

Je me chagrinai à l'idée qu'il allait peut-être mourir sans s'être imprégné de mes derniers aveux.

Je me sentis lasse de cette histoire qui ne parvenait pas à sa fin. J'avais cru que mon retour au Québec sanctionnerait le dernier chapitre, mais il n'en était rien. Depuis que j'avais mis les pieds là-bas, ce n'était plus moi qui menais l'intrigue. Je subissais contre mon gré le rôle de belle ingrate qu'on m'avait assigné.

Moi qui buvais si peu, de coutume, j'éprouvai le goût d'une autre bouteille de bordeaux. Malheureusement, je n'en avais plus sous la main et je me sentais bien trop paresseuse pour aller en quérir une autre à la Société des alcools.

Les journées me paraissaient interminables.

J'étais rongée par l'inquiétude.

Je consultais mes messages de manière quasi frénétique, presque vingt fois par jour, dès que j'en avais l'occasion, espérant toujours être mise au fait de nouveaux développements. Néanmoins, en secret, toujours aussi perplexe, je continuais de souhaiter et d'appréhender simultanément que ce ne soit qu'une ignoble mise en scène.

La lassitude se faisant exténuante, je me glissai sous les couvertures du lit de mon appartement, au beau milieu de l'après-midi, en ce dimanche frisquet où je bénéficiais de quelque répit encore avant le retour à la routine, et ne tardai pas à sombrer dans un sommeil profond qui m'épargna du moins quelques heures de conscience.

Quelques jours plus tard, un avis de décès me fut envoyé par voie électronique.

J'en fus déconcertée.

L'annonce était on ne peut plus dépouillée.

Le cœur me battait à tout rompre dans la poitrine.

Cela ne pouvait être possible... c'était bien trop bête.

Ce devait être un canular.

Comment savoir?

On m'exhortait à garder de lui le souvenir d'un homme intransigeant, envers lui-même et les autres, mais assurément intègre.

Je ne pouvais pas imaginer la véracité de cette information.

J'avais été si crédule, avant mon départ pour l'Europe,

que maintenant, c'était comme si je sombrais dans l'autre extrême; je me méfiais désormais de tout ce que je pouvais lire à l'écran. J'avais conçu tant de sentimentalisme, inspiré de notre correspondance préliminaire, que maintenant, je n'osais plus me laisser aller à éprouver quelconque sensibilité, comme par crainte de me découvrir encore trop fragile et aveuglément confiante.

Par ailleurs, comment pouvait-on être malchanceuse au point de débarquer dans la vie de quelqu'un à peine un mois avant sa mort? C'était un hasard qui m'apparaissait improbable.

J'aurais voulu imaginer moi-même une histoire semblable pour en faire un roman que je n'aurais jamais pensé inventer un pareil concours de circonstances.

Je fis relecture de l'avis.

Mes yeux parcoururent fébrilement les mots sur l'écran.

J'en avais le souffle coupé.

Il avait trépassé.

Il ne fallait pas en douter.

Je l'avais vu si malade, si angoissé par son inéluctable crainte de la mort...

La fatalité avait laissé tomber son couperet.

Il n'était plus.

La Belle avait tué la Bête.

Je pleurai devant l'écran froid.

J'expiai mon insouciance et ma vilenie jusqu'à ce que mes yeux empourprés, bariolés et bouffis me rendent méconnaissable à moi-même dans le reflet du miroir.

Il était mort.

Certes, notre histoire ne s'est pas conformée au canevas des contes de fées. L'amour, dans toutes ses dimensions, n'eut jamais été possible entre nous deux.

Quand j'y repense aujourd'hui, je me dis que j'ai sans doute, en quelque part, détesté la Bête autant que je l'ai aimée.

Mon plus grand regret est de ne pas avoir su comment assumer la tendresse que j'éprouvais pour elle.

Parfois il m'arrive, dans mes extravagances, de soupçonner ou de souhaiter, secrètement complice avec lui, que son décès soit une fabulation. Je soupire, avec une mélancolie douce-amère, j'espère qu'il vit toujours quelque part, sous un ciel azur, et sous une autre identité peut-être. Qu'il ait enfin trouvé le bonheur, avec une autre, à mon insu. Je l'affectionne trop encore pour accepter la fatalité de son destin. Et je m'afflige, lorsque j'achève mes rêveries, en me demandant si je ne cherche pas d'abord à me consoler en conjecturant que je n'aie pas été son dernier bourreau.

La Belle, punie par la Bête.

Chaque matin où je vais à la poste, depuis bientôt dix ans, j'espère découvrir un petit paquet venu de Belgique ou d'autre part ailleurs, recelant le porte-clés du séduisant loup argenté que je lui avais offert en cadeau. Je crois que, bouleversée par le flot d'émotions qui m'envahirait alors, je le presserais sitôt contre mon cœur, ne songeant même pas à lui reprocher d'avoir artificiellement trépassé.

Soulagée, je me disculperais enfin du poids immense de mes culpabilités. Je pardonnerais volontiers une telle impudence en l'échange de la certitude de son sursis. Peut-on en vouloir à qui que ce soit d'avoir éloigné de sa personne, par le plus drastique des moyens — à n'en pas douter — mais le plus forcé peut-être, le mal qui menaçait de l'engloutir?

«Les loups ne connaissent que l'instinct de survie», m'avait assuré Edy.

Depuis, je me suis installée, avec mes filles, dans une petite maison centenaire longeant le Saint-Laurent.

Je n'ai toujours pas oublié Edy ni l'image bruineuse et terne de son pays.

Environ un an après mon retour, alors que je marchais seule, en respirant l'air frais et humide de la forêt printanière bordant le fleuve, un événement étrange survint, et raviva en moi quelques bouleversements.

J'avançais à pas flâneurs lorsque surgit inopinément des buissons un jeune loup. L'animal resta figé devant moi.

Je paralysai, ébahie.

Sa beauté et la profondeur de son regard me troublèrent.

J'osai à peine respirer, craignant de voir sitôt prendre la fuite ce qui me sembla être un mirage.

Je sentis la marée d'eau salée monter dans mes yeux.

Une vague de souvenirs refit surface.

Dans mon regard embrouillé, la silhouette se dissipa.

Je n'entendis que quelques craquements de branches, derrière les feuillages, qui m'assurèrent que je n'avais pas rêvé.

Dans mon émoi, j'avais cru reconnaître Edy.

Edy, dans la peau d'un jeune loup.

Edy, dans les forêts de l'Amérique.

Quelle folie que d'avoir osé y croire, même une seconde.

Chapitre 25

Je retournerai, un jour, à Linkebeek.

J'irai marcher au cimetière Kerkhof.

J'arpenterai les allées, une à une, jusqu'à la découverte de sa pierre tombale.

Si je ne la trouve pas, je me rendrai jusqu'à l'édifice de pierres rouges de la rue Hollebeek.

J'entrerai dans le vestibule humide et délabré pour examiner le nom apparaissant sur la case postale de l'appartement numéro un.

Même si aucun Edy Albert ni aucun Ruben Vanderkeelen n'est inscrit sur la petite boîte métallique, je descendrai le sombre escalier et je frapperai à la porte du petit deux pièces et demie.

Remerciements

À *l'Union des écrivaines et des écrivains québécois*, pour leur formidable soutien par le biais du programme de parrainage. À **Yolande Villemaire**, *ma marraine*, pour m'avoir guidée dans les pas de la femme sauvage. À **Jacques Bernard**, *l'allumeur de réverbères, pour avoir été le premier à croire en mon talent*. À **Jacques Hardy**, *mon trop souffrant ami, pour avoir été le lecteur initial de ce roman*. À **Gary Gaignon**, *mon plus fidèle lecteur, pour ses tirades dithyrambiques si motivantes.*
À **Pierre Leroux**, *pour avoir encouragé mes espoirs.*
À **Martine Labrecque**, *ma jovialiste dévouée, pour ses nombreuses lectures et relectures volontaires.*
À **Marc Chabot**, *mon cher philosophe-conseil, pour son avis utile sur quelques passages*. À **Jacqueline Thériault** — *merci maman!* — *et son mari,* **Marc Deschênes**, *pour leur aide matérielle et leur confiance! Aux* ***psychologues à cinq sous*** *de la Place Publik du Cégep de Sainte-Foy, pour m'avoir accroché, lors d'un jour de lassitude, un sourire sur les lèvres*. À **Eric Lequien-Esposti**, *pour son support indéfectible*. À **Francine Allard**, *pour son enthousiasme et sa foi en ma prose*. À ***tous ces autres lecteurs et lectrices*** *de mon entourage, qui se sont intéressés à la lecture de mon manuscrit*. À ***toute l'équipe éditoriale de ma maison d'édition***, *pour sa gentillesse, son respect, et sa si grande convivialité*. À vous, ***lecteurs connus et inconnus****; merci de prendre part à mon rêve...*

MARQUIS

Marquis imprimeur inc.

Québec, Canada

2008

100%

Recyclé
Contribue à l'utilisation responsable
des ressources forestières
www.fsc.org Cert no. SGS-COC-003153
© 1996 Forest Stewardship Council